在圖書館培養比爾蓋茲

李賢／著
寧莉／譯

核心

推薦序

圖書館是孩子終生學習的最好朋友

王梅玲　國立政治大學圖書資訊與檔案學研究所所長

台灣的父母對於圖書館仍存有舊印象，認為它是孩子在準備考試與入學大考時最佳的讀書場所。殊不知，這完全沒有運用到這所知識殿堂的真正功用。

《在圖書館培養比爾蓋茲》一書敘說的是一位韓國的母親，在法國留學期間，如何利用圖書館教養兩位韓國兒童，讓他們不僅學會了法文，更懂得如何去閱讀、使用圖書館豐富的藏書，並藉此開始培養孩子獨立學習與批判思考的能力，為孩子奠定了成功人生的基礎。

圖書館是人類終生學習的良伴，對國家、社會與個人均有重要價值。《美國圖書館》（American Libraries）雜誌與許多熱心人士，列舉了圖書館十二項重要價值，以彰顯其是人民精神生活成長的要素：一、圖書館為民眾提供資訊。二、圖書館打破社會各種藩籬。三、圖書館是平衡社會的競賽場。四、圖書館尊重個人的價值。五、圖書館孕育人類的創造力。六、圖書館開拓孩

子的心靈。七、圖書館回收更高的效益。八、圖書館協助社區營造。九、圖書館增進家庭的親近。十、圖書館是包容異己的象徵。十一、圖書館是提供心靈安慰的殿堂。十二、圖書館保存過去。

圖書館對孩子而言，是除了學校之外，另一個學習的好夥伴，它開拓孩子的心靈、孕育孩子的創造力、尊重孩子個人的價值，更是增進親子關係的天堂。

它也是正規教育完成後，終生學習的良師益友。怎麼說呢？在歐美國家，圖書館提供民眾所需要的圖書資訊，教育孩子如何閱讀，教導民眾如何利用資訊來幫助學習、創新、生活與工作。

在現今的社會中，大量的資訊如滾滾洪流淹沒了人們，令人無法喘息，而在這樣的時刻，圖書館就像資訊大海中的知識燈塔，永遠照亮人們。

圖書館在一般民眾的刻板印象中，只將它當作是藏書樓與自習室，這真是大大的暴殄天物！今日社會不斷地進步與變革，人們的學習必須是終其一生持續進行，才能適應瞬息萬變的社會，而圖書館便是現代人追求終生學習的最佳場所。

圖書館包容多種語言、文化、理念、主義、理論、想法，它表現出無國界、多元文化，與地球村的特性。所以本書作者可以在法國與韓國，利用圖書館來教育子女與完成博士學位，她在圖書館培養自己的比爾蓋茲。

本書雖然是韓國人的著作，但是圖書館與資訊的精神是超越國界的，所以，全文讀來通暢，沒有絲毫的窒礙。

全書分為四章，第一章「為什麼一定要有圖書館」，作者提出圖書館的價值不在於藏書處所，

而在於兩個核心價值：一是圖書館提供全方位的閱讀與學習，一是圖書館培養孩子成為利用資訊與分析資訊的能手。能夠支持這兩種核心價值的，正是因為圖書館有典藏、組織整理與傳播知識的功能。

第二章「如何利用圖書館」，作者先提及如同國家民族有其重要儀式般，利用圖書館也有認識圖書館的儀式，所以，在踏進圖書館之前，先行教導孩子養成遵守圖書館使用禮儀的習慣，是十分重要的，此外，更需教導孩子在使用圖書館之前應要作好計畫，才不至於入寶山空手而返。當然，千萬不要錯過圖書館所安排的各種學習課程與網路教育課程。

第三章「圖書館書籍閱讀法」才是全書精髓。今日西方社會創新與競爭成為主流，歐美民眾十分重視閱讀，希望藉由閱讀，將別人的思想吸收，再經由思考、批判、創新的過程來發展與開創自己，如此一來，如何擅用圖書館豐富的藏書，便成為重點。

本章說明父母如何教導孩子作閱讀筆記，培養正確閱讀習慣，即不盲從書中作者的觀點，而有自己的想法。作者提及法國人閱讀的重要原則是，在閱讀時，瞭解事情全貌，找出原因，作出結論，再把結論合理化，而這同時也是建立孩子獨立閱讀習慣的最佳途徑。

第四章「百分百善用圖書館的方法」告訴我們，圖書館員是「書」的專業人員，是最懂得圖書與資訊，也是最可以幫助我們閱讀與利用資訊的人。而懂得享受圖書館文化與善用各種文化中心圖書館的人，是圖書館的善用者。

本書作者李賢是韓國知名的教育家，她利用比爾蓋茲名言：「培養出我今日成就的，是我家鄉

的一個小圖書館」著作本書。她雖然是韓國人，但把自己在歐美圖書館的使用經驗著作成書，不僅將閱讀、利用資訊、使用圖書館的理念深入淺出的陳述，並將一對兒女的實證教養經驗娓娓道來，生動且活潑。

最後，在附錄中有中國圖書分類法簡表，可用以對照書中所提到圖書館以主題來組織圖書的杜威十進分類法。我國目前各公共圖書館幾乎都採用中國圖書分類法，而這便是參考美國杜威十進分類法而訂，可作為讀者查找圖書之參考。

閱讀本書之後，建議身為父母親者，可參考附錄中的圖書館名錄，到附近的圖書館，依著本書建議的圖書館使用法，如法炮製，相信將可以培養出我國無數個比爾蓋茲！

創造奇蹟的媽媽

陳昭珍　國立台灣師範大學圖書資訊學研究所所長

比爾蓋茲在圖書館當義工的童年故事，我也在讀者文摘讀過，年幼的比爾蓋茲讀小學時，即在學校圖書館當義工，他的工作是排架。後來因為搬家，他不得不離開這個學校及圖書館；但沒過多久，比爾蓋茲又回到原校圖書館當義工，館員問他怎麼回事，他說，因為不能在新學校的圖書館工作，他喜歡原來的圖書館，也喜歡在圖書館排架，所以又回來了，他在排架這份無聊的工作中，看了很多書。

幾年前在一個研討會上，曾聽到前教育部長曾志朗先生說一個成功企業家的故事：美國有一個單親家庭，母親因為要工作，但又希望孩子能在一個有益的環境待上一整天，於是每天上班時，就將孩子放在車上，帶到鄰鎮的圖書館看書，一開始，那個孩子在這個陌生的環境顯得慌張失措，無所適從，這時來了一位親切的圖書館姊姊，介紹了幾本好看的書給他，書中的內容立刻吸引了孩子，讓孩子忘了媽媽不在的慌張，而且從此以後，圖書館變成他的知識寶藏，他在那邊看了一本又一本的好書，度過充實且豐盈的童年，這個孩子，後來成為一個成功的企業家。這位母親為何要將孩子帶到鄰鎮的圖書館呢？她認為，若將孩子放在本鎮的圖書館，孩子可能因為環境熟悉，而跑出

去跟其他的孩子鬼混。曾前部長講到這個故事時，將圖書館視為「創造奇蹟的地方」，我認為這個故事中，還有一位「創造奇蹟的媽媽」。

我有兩個孩子，他們小的時候，圖書館是我們全家假日常去消磨一個上午或下午，甚至一整天的地方，有時候走路去，有時候全家騎腳踏車去，到了台北市立圖書館的總館，我會幫孩子讀書，讀累了，就叫他們自己看書，或到地下一樓的遊樂場玩一玩，最後還要再借上幾十本書，孩子才捨得回家。

現在，女兒讀大學了，有時覺得功課煩悶，她就會到更近的道藩圖書館或大安分館借幾本書回家看：兒子今年也要上大學，他平日最愛的就是逛誠品，那裡永遠有他千看也不厭倦的天地，可惜，即將就讀的大學附近，沒有誠品，帶他去學校參觀的時候，他靦腆的笑著說，以後就要靠這個大學圖書館了。我知道，若這個大學的圖書館經營的不夠看，他大概會轉學回台北，圖書館是我們喜歡住在台北的理由之一。

我們完完全全從圖書館獲得好處，因為閱讀，在成長過程中，孩子的品德、教育問題都不太讓我操心。我自己向來對於閱讀的推動有一份使命感，也常夢想，有一天可以寫一本有切身感受的書，告訴別人閱讀的好處，可惜我很懶，從沒想過像李賢博士一樣，要幫自己寫閱讀日誌或幫孩子寫圖書館日誌。

讀了李賢博士的《在圖書館培養比爾蓋茲》一書，真的很感動，也很高興，心想，如果每個媽媽都能像她這樣，帶孩子到圖書館，給孩子一個好的成長環境，養成一生受用不盡的閱讀習慣，從

圖書館的使用中培養找尋資訊的能力、分析的能力、自己解決問題的能力，那麼他們未來在社會，都會是健康且有成就的人。

李賢博士為所有的媽媽們寫了這本書，她現身說法告訴我們，圖書館是一個創造奇蹟的地方，一個盡責且創造奇蹟的好母親，就是帶孩子到圖書館，讓他坐在膝蓋上，輕聲的為他閱讀。

善用圖書館　展現文化再造的企圖

吳美美　國立台灣師範大學圖書資訊學研究所教授

八月下旬剛從韓國首爾參加第七十二屆國際圖書館協會聯盟年會（IFLA）返國，就收到核心文化寄來，將在十月份出版的韓國授權新書——《在圖書館培養比爾蓋茲》，真是何其巧合！

在會議的開幕式中，韓國現任總統夫人權良淑女士、前韓國總統暨二〇〇〇年諾貝爾和平獎得主金大中、現任文化部長，以及首爾市長皆應邀出席致詞，文化部長在報告韓國圖書館發展時指出，韓國兒童圖書館數成長比例驚人，五年成長約五千個百分比！（令人不免懷疑韓國以前是否沒有兒童圖書館或者館數很少）此外，該國正在推動的計畫有「閱讀起跑」（Book Start）和「神奇圖書館」（Magic Library）。會議中一位甜美的女孩向我推介「神奇圖書館」（Magic Library）計畫，發展兒童圖書館正是當前韓國的國家級重要政策。

韓國的新圖書館建設運動，明顯以兒童圖書館和數位圖書館為主軸，和李賢教授出版的《在圖書館培養比爾蓋茲》合在一起看，韓國社會未來的發展，真是不容小覷。

曾經在二〇〇六年三月參訪韓國中小學行動學習計畫時，看到當地導遊掩不住志得意滿的神情跟台灣旅客說：「今年韓國國民所得第一次超過台灣。」在八月的IFLA會議和相關資料中，又

看到韓國有計畫的建置數千座兒童圖書館和國家數位圖書館，以國際圖書館協會聯盟的觀點而言，資訊社會中圖書館的發展和國力幾乎是等同詞。

但是光有硬體建設，其發展能量還是有限，李賢教授出版的這本書，教導所有韓國爸爸媽媽學會使用圖書館，教導孩子成為快樂自主的小學習達人，軟硬體的合併，其能量將十分驚人，可以預測一個文化再造都不為過。

李賢媽媽的這本書可以說是圖書館利用的科普版，用說故事的方法，用親身的經歷，現身說法她自己如何善用圖書館，培養了兩個語言傑出、思考獨立、學會自主學習和津津於學習的孩子。真是令也是身為媽媽，也是圖書館學校老師的我太羨慕了。

這本書提到幾個令人愛不釋手的議題：

・閱讀的方法

「我實在太好奇了，……那位同學所貼的那些便利貼上，全都記錄著自己與作者不同的觀點與想法。」

「……透過作者創造屬於自己的內容，這樣才算是真正的擁有書籍。」（P.70～P.71）

可不是嗎？常常和研究生分享閱讀的方法，瀏覽略讀、分析閱讀、綜合閱讀，最後是創新閱

讀。創新閱讀就是「透過作者創造屬於自己的內容」，這個會心智活動當然是不容易養成的，但是養成有創造力的閱讀習慣，才可以脫去舊有的慣性閱讀和惰性閱讀。

・教孩子自己選書

「最讓我感到好奇且欣慰的是，⋯隨著時間的過去，開始會訂定自己有興趣或關心的領域，而且還可以明確指出哪裡有哪些資料。」（P.56）

這真是不可思議的閱讀效果！這個內在機制是如何產生的呢？在學校教育可以產生這樣的效果嗎？我帶研究生尋求研究題目，經常期望藉由資訊蒐集和閱讀，讓研究生產生這樣的內在機制，但是何其困難呢？這個問題要有人拿來長期研究一定很棒！

在親子閱讀方面，膝蓋學校、「陪讀保母」（Booksitter）的概念、讀給家人聽、闔家閱讀，都提出了很重要的概念和方法。

記得美國老布希總統的芭芭拉夫人，白髮斑斑、笑容可掬的在一個公共圖書館為孩子唸書的一張照片，膝上就是一個孩子專心安祥的臉龐。

而假使是雙薪爸媽怎麼辦？李賢也經歷並突破這個困境，她提供在法國的經驗，培訓了一個「

陪讀保母」，用心示範為孩子讀書的方式，並且因為兩個孩子年齡和閱讀需求不同，一次只和一個

孩子讀書，此時，「陪讀保母」就有了很好的功用。後來李賢還訓練小姊姊給弟弟讀書，當然還是

用了聽慧媽媽的一些小技巧啦！

李賢教授提出到圖書館的閱讀的儀式，很有意思，連在圖書館中，有效的閱讀飲食文化都討論了。她建議父母親帶著孩子到圖書館之前，要有一些預告和準備動作，包括預期先要找來看的書、準備圖書館專用包、茶水和蔬果點心：

「**新鮮的維他命可以活躍孩子的腦部，不但可以讓孩子的頭腦清晰，也可以安撫孩子的情緒，因此對閱讀有很大的幫助。**」（P.104）

進出圖書館要洗手、閱讀之前，要先學習圖書館的禮節等，都會讓孩子學習珍視閱讀機會、珍惜文化和學習尊重他人的權益。

李賢教授提到圖書館和社會人格的養成，知識共有的人生觀、人類生而平等的概念、人格培養、講禮和禮讓等，都在簡單的圖書館閱讀活動中可以養成，這何其珍貴！這些概念在圖書館員的養成教育中，概論性的課程都會提到，但是像本書生活化的現身說法，就很難得。

李賢教授認為造成各種癥狀的閱讀障礙，是由於一開始就沒有養成良好的閱讀習慣所引起。李賢教授還提出一些閱讀指導很珍貴的經驗，值得實際從事閱讀指導者參考。例如，現實和想像世界危機的解除、童話書和語言學習、在圖書館運用童話教導孩子學習數學、引導孩子說出自己的想

法、刺激思考等。

那麼誰該閱讀本書？

・重要的育兒寶典——父母親必讀

這本書可以說是育兒寶典，每個父母都該閱讀。近來全球流行的「閱讀起跑」(Book Start)計畫，國內最早由沙鹿鎮深波圖書館陳錫冬館長從英國引進，現在各國、各縣市也陸續在推行，父母親接受「閱讀起跑」計畫，應該不只是接受圖畫書的餽贈，更需要知道閱讀引導的方法。聰明的「閱讀起跑」計畫，應該要先訓練會閱讀和能欣賞閱讀的父母，才能善用「閱讀起跑」的圖畫書呢！

・兒童閱讀的重要指導者——小學老師

本書不只是父母必讀，對小學老師也很有用，可以清楚知道合適於小學生的閱讀指導方法；對研究生也很有用，可以拿來參考，檢視自己的閱讀方法。

・圖書館員的養成教育必讀

本書提到一份調查報告「為什麼不去圖書館」，李賢教授認為，「利用圖書館並不意味著只是去看書而已」，到圖書館借書不是圖書館服務的核心，閱讀和培養正確的閱讀習慣才是。李賢教授也提到關於圖書館的服務，以及民眾不信任圖書館的原因，身為圖書館員就需要聽圖書館使用達人

的聲音，才能使服務更貼近讀者。

圖書館是西方的產物嗎？當然不是，老子時代就有柱下史。但是知識公共化是西方的產物嗎？還是普世的文明產物？不知道，但，看看各國政府的圖書館經營政策，以及稅收對於圖書館和基礎教育的支持程度，就會知道。若你希望能自由閱讀、有能力進行獨立思考，那麼就讀讀李賢媽媽的經驗，應該對自己和下一代都會有意想不到的收穫。

李賢媽媽就像我的朋友美珠，是圖書館的使用達人。她住在圖書館的附近，養了三個孩子，自己在圖書館讀了一大堆古今中外的書，對於圖書館內的館藏和作者比誰都要瞭解，真是羨煞人了。

李賢媽媽的作品，也把我帶回歡樂的二十年前，軟軟甜甜、溫馨的小娃兒圖書館。孩子小的時候，朋友常常戲稱我為「放牛媽媽」，當周遭媽媽們正忙進忙出帶孩子到各種補習班學東學西，我卻是很陽春的和孩子快樂進出圖書館、放風箏、玩拼圖，朋友們擔心我的「放牛」，會誤了她們很喜歡的孩子。嗯，這孩子今年要升大四，從小自主學習，自己選擇學校，自己規劃學習計畫，放寒暑假返家時就順便帶幾本讀過的書回來和老媽分享。我們的共同回憶就是享受閱讀的樂趣，平淡而充實的生活應該就是這樣吧！

不過，想來若是早讀到李賢媽媽的現身說法，我一定也會更有系統的準備一個貼有圖書館卡片的圖書館包包和一本圖書館筆記書，來記錄我們從小讀過的書和歷程，對孩子可能還會有另一番影響呢！這個願望，就留給未來的許多新爸爸媽媽和他們的孩子了。

值得一讀的好書

林珊如　國立台灣大學圖書資訊學系教授

打開作者的序言，我就知道，這是一本我期待已久的書；一本從為人父母的角度，驗證如何善用圖書館從事親子教育成功的實際案例，但不只談經驗，也談理論和方法。

這是一個深刻受益於公共圖書館，特別是兒童圖書館這一公共設施的家長，一位法國的留學生，一個韓國媽媽，所寫的圖書館使用經驗，其中也包含閱讀理念與價值觀的探討。

作者以使用者的角度，足跡遍及世界各地的圖書館，分享她及孩子真實生活中豐富的圖書館使用經驗。更重要的是，這些經驗如何培育出具備二十一世紀各國教改所強調的，能「發現問題及尋找資訊解決問題能力」的優秀國民。書中將這一個事實如何透過「圖書館利用教育」傳遞給下一代——她的兩個小孩，以生活中的點點滴滴，娓娓道來。同時，也將現代圖書館作為一個國民生活不可或缺的實用價值與使用方法，有條不紊地陳述分享。書中傳遞了一個十分重要的觀念：關心我們的公共圖書館，是每一個國民的權利與義務。

作為兩個孩子的媽媽，我有類似作者的經驗。從事圖書館學教育多年，有一年因工作之故，帶著剛要上小學一年級和五年級的孩子到美國當地的小學唸書。如何幫助孩子快速融入美國的教育體

系，語言能力是第一要件。住處附近開車不遠的地方有兩所公共圖書館，孩子上學時，我到圖書館做研究；放學後，接了孩子到兒童部門做功課，與小的一起看故事書。圖書館中男女老少都有，兒童區也一直都有分齡分類的推薦書放在明顯之處，讓我們借閱。我和小兒子每天在睡前讀故事二十分鐘，孩子的語言及適應能力的確進步相當快速，學校老師及校長也很驚訝他們剛自非英語系國家來唸書，卻不用補救教學。我對作者身為母親，在異地文化中培育子女的挑戰，及充分利用圖書館的價值與重要性相當感同身受。

作者是韓國媽媽，而今年國際圖書館學會聯盟（IFLA）一年一度的國際研討會，恰好在韓國首爾舉行。自爭取到主辦權，韓國政府即相當重視這一次圖書館界的盛會，不僅投入相當的資源，包括現任市長、總統夫人、及前韓國總統金大中也出席此次大會致詞。一個令與會者驚訝的事實是，過去幾年中，韓國增建了五千所圖書館，包括七百所兒童圖書館；韓國近年來國民生產力的提升是有目共睹，這是一個讓國家進步應有的長期措施。

眾所皆知，影響二十一世紀電腦科技發展與應用的世界首富比爾蓋茲，當年並沒有讀完大學。但許多人或許不知道，他曾經自述影響他一生的源頭來自鄉下的一所小圖書館。為什麼是圖書館？因為懂得悠遊於圖書館，代表的是掌握了終身學習的方法與資源。

你是否覺得孩子有學習上的瓶頸？你是否憂慮孩子如何適應資訊社會的快速變遷？你有多久沒帶孩子去過國內現代化的圖書館了？這本書可以啟發你如何有效培養具備終身學習能力的孩子。

這是一本圖書館教育者、閱讀推廣者、特別是為人父母的都應該一讀的好書。

前言

李賢

去年夏天，首次接到有關「圖書館學習法」出版事宜的委託之後，我始終猶豫不決，因為我本身並不是出身於圖書資訊相關學系，更不是圖書館員，充其量不過是一個非常熱衷使用圖書館的人而已，這樣的我，真的可以寫有關「圖書館學習法」的書嗎？

當我因為這樣的疑惑感到不安時，委託我的編輯卻對我說：「妳只要站在使用者的立場，提出善用圖書館的最佳方法，把妳教孩子的方式直接轉換成文字就好了。」

這句話給了我莫大的勇氣。

回頭想想，我真的從圖書館獲得很多好處，不僅是我的孩子們，老實說，我本

身也是透過圖書館，找到了人生之路，所以自圖書館得到最多好處的，就是我自己。

有一次，在書局看書看到一半，老二時煥突然對我說：「媽媽，這本書真的非常有趣，我們借回家看吧！」

聽到時煥這樣說時，老大珍兒以指正的口氣回答：「嘿，這不是可以借來看的書，這裡不是圖書館，而是書局。」

結果，時煥反駁珍兒說：「妳看，這裡有條碼呀！有條碼為什麼不能借？」說話的同時，還邊把書後面的ISBN號碼秀出來，以示證明。

看到這樣的情況之後，我不免笑了出來，原來我的孩子看見這裡的書有條碼，便認定這裡便是圖書館啊！

然後，我告訴時煥：「時煥，這個號碼等於書的身分證，是代表這本書來到這個世界的號碼，所以它和圖書館的條碼是不一樣的，等你看過別的書之後，如果還是想要看這本書，我們再買下它好嗎？」

只要張開眼睛就吵著要去圖書館的珍兒與時煥，不論到了哪個國家，首先拜訪的就是當地的圖書館，當我看著已經習慣在圖書館裡舒適閱讀的珍兒和時煥時，讓我再次確定，教育孩子真正需要的就是圖書館！

對於教育孩子，我也曾經非常擔憂和徬徨，所幸，隨著我踏上留學之路的珍兒，在一個語言不通的國度——法國住了三年，一點也沒落人後，反倒與法國當地的孩子積極地度過了在國外的生活。

而造就這一切的主要原因，便是圖書館。

回到韓國之後，不會韓文，也不認識韓文字的珍兒，在很短的時間內可以達到現在的水準，也是因為有圖書館的存在。

而老二時煥在我踏上留學之路時，才七個月大，讓奶奶帶在身邊，因此他等於是在社區的老人圈中長大的，說他在幼兒期根本沒看過書也不為過。但，那樣的時煥，同樣也是在短短的一年內，不但閱讀了圖書館裡適合他的大部分書籍，甚至沉浸在屬於自己的書籍世界中。

而這一切的一切，都是圖書館給予的好處。

有過這樣的親身經歷，我想對全世界所有的媽媽們說，如果您真的希望自己的孩子成績好，進而成為一個沒有國界的地球村人，首先要改變的就是教育場所。

父母教導孩子，不是依循一本本的教科書，而是要引領孩子到好的教育環境；不要把孩子推入令人窒息的私人教育機構，孩子的學習應該是在學校和圖書館裡！

只要孩子學習了如何瞭解並且去愛這個世界時，自然而然的就會讀書了。

您不妨馬上帶孩子到居家附近的圖書館，您將會發現孩子對於書籍有多麼的飢渴，隨著進出圖書館的次數愈多，您也會感覺到孩子的想法不斷的改變。而且，您將會領悟，讓孩子成為一個幸福資優生的所有祕訣，全部都在圖書館裡。

目錄

如何利用圖書館

目錄

圖書館書籍閱讀法

目錄

5 Q&A

附錄

第 1 章

為什麼一定要有圖書館？

從小就會善用圖書館的孩子，可以在眾多的書籍當中，找出自己需要的書籍，並在那本書裡找到自己想要的內容，且善用該資訊情報。

也就是說，這樣的孩子，具有主動尋找資訊情報並加以分析的能力。

爲什麼一定要有圖書館？

使用圖書館的人，就是圖書館的主人

「去圖書館吧！」

看著揹著圖書館專用包，爭先恐後的穿著鞋子的孩子們，我內心深處有股說不出的喜悅。

幾年前開始，圖書館儼然成為我們第二個家。

自從接近圖書館之後，我們的生活有了另一種轉變，而現在我們正沉浸在那樣的幸福當中。

「繳了多少稅，就利用多少圖書館」——這是我的座右銘。

我是一個有繳納稅款，堂堂生活在這塊土地上的國民，一年一次的所得稅、每個月自薪資中被徵收的血汗錢、買物品的時候支付的發票稅等等，我們的生活與稅金密不可分。但是，被要求這些基本義務的我們，卻不懂得從中得到回饋，只會一味地大吐苦水。

換句話說，我們身為這塊土地的主人，卻缺乏應當有的國民意識。

我住在法國期間，感到最好奇的，就是有關稅款的問題。

我以為當每個法國人薪資的百分之三十到四十，都要被當作稅賦繳交出去時，他們應該有很多的不滿才對，不過，卻很少從他們口中聽到繳那麼多稅而感到可惜的話。

其實這都是因為他們懂得善用公共設施，所以對於繳納稅款不會感到捨不得。付出多少，就利用多少；付出更多，就利用更多！這就是真正的國民意識。

我個人認為，活在當下最重要的，就是要擁有身為這塊土地的主人，所應該要具備的國民意識。

但，這樣堂而皇之的要求，就可以變成這塊土地的主人嗎？

不，國民的義務是和權利一樣多的。

例如：我是這個家的主人，除了平常要清掃家裡每一個角落的灰塵，還要定期大掃除，也要準備一年幾次的各種稅單及各項資料等等，要做的事情實在非常多。而且，必須要關心的地方，還不單單是我的家，當我下定決心也要關心我所居住的地區時，我發現那個中心點就是圖書館。

以國民的意識來看圖書館，就會有種圖書館的主人就是我的感覺。實際上，圖書館就是利用國民所繳納的稅賦運作的，既然我是稅金的主要來源之一，那麼說圖書館是我的也不為過。

當我這麼一想之後，突然覺得之前認為和我毫無關連的公共圖書館，如今就彷彿是我在經營管理，甚至好像是專為了我而存在，變成與我非常親近的場所。

自從我有了前述的想法之後，圖書館對我而言，已經成為一個與之前完全不同的新天地。

我會把圖書館中的書籍當成是自己家的書籍一般，隨時注意書的情況，如果有被撕破或遺失的書籍，我就會告訴圖書館的管理員，甚至還會關心圖書館的構造、細心檢視各種設備又是如何運作等事宜。

例如：多媒體室裡有些什麼樣的資料？網際網路該如何使用？英語錄音帶又該

如何借用？也可以瞭解一下館內有哪些電影及記錄片的CD或VCD，如果有需要，就可以要求他們準備。

在這樣的過程中，我變成圖書館真正的主人，並且在我的生活中，圖書館已成為除了家與工作場所之外，最親近的地方。

近來不只是國立圖書館，甚至連市立或區域圖書館，也非常渴望市民們的主動參與，因為現在的經營方式不像以往，是以圖書館為中心運作，而是以使用者為中心來運作的。

雖然如此，但是市民們依然不抱著主人意識，積極地使用圖書館，因此很多圖書館都無法脫離「圖書出借店」的角色。

如果圖書館無法發揮其機能，只是停留在單純出借書籍的角色時，其所有的損失自然會完全回歸到我們身上。因此，為了找回我們應有的權利，就要積極參與，讓圖書館可以發揮其該有的機能。

不要因為沒有可看的書而抱怨，要檢視圖書館裡有哪些項目可供我們使用、主動找尋自己想看的書籍，以及本身需要的項目。

如果沒有此館藏時，就主動向圖書館員申請。我們應該具備如果有需要的書

籍，就把需要的原因記載下來，並向圖書館申請的積極態度。

實際上，現今如果有人申請書籍、錄影帶、CD或DVD等時，圖書館都會在最短的時間內為申請人準備，當申請的東西到達時，也會主動通知申請人，甚至給申請人優先借用的權利等。

偶爾有機會到其他地區或到國外時，我第一個去拜訪的地方就是當地圖書館。到圖書館去參觀，就可以充分瞭解當地的情況，而且也很容易找到我可以使用的地方。

環視周遭，我們可以發現，其實附近有很多很不錯的圖書館。其實圖書館不但可以借書，還有免費的網路可以使用，甚至可以參與多元化的學習課程。

由於是圖書館主辦的課程，我們不需要擔憂因為費用低廉，品質一定會很低劣，因為圖書館所舉辦的各種課程，和任何私立機構所開設的課程相比，品質及各方面只會更好，絕不會輸給那些私立機構。

只要抱著自在的心情，環視一下自己居住的地區，一定會發現一所可以改變我們孩子人生的圖書館。

改變我人生的圖書館

我第一次出入圖書館，主要是因為當時就讀國中一年級的我，家離學校太遠，交通不方便，一定要等到爸爸下班後來接我一起回家，而剛開始時，還會有朋友陪我打發等待父親的那段時間，不過，長久下來，朋友們一個個離開，所以，一個人在空蕩蕩的學校中等待爸爸，變成一件既無聊又難挨的事。

在這樣的情況下，我發現學校附近有一所圖書館，從那個時候開始，放學後我就直奔圖書館，先把學校的作業寫完，然後在圖書館裡到處探索。

一開始，我的程度是停留在看看圖書館裡的書籍，然後，在一個很偶然的機會下，我發現了「東亞大百科辭典」，出於好奇，我開始閱讀，沒想到這樣的舉動卻改變了我的命運。

百科辭典對於當時的我，是一本充分滿足了我的好奇心的書。起初，我是以隨意打開就看的方式來閱讀，後來開始注意到中間標示的年度別和圖畫，最後是以尋找人物別的方式來閱讀。

從人物篇開始產生的好奇心，進而擴展至事件別，當內容逐漸龐大，我開始依歷史事件的順序來閱讀韓國史和世界史。之後，我又把韓國史與世界史，用年度別來區分，並相互比較來閱讀。

自此以後，我把圖書館的書籍當成朋友，常忘了時間，總超過約定的時間，才發現爸爸不知什麼時候，已來到圖書館的外面等著我。

而這樣開始我的歷史探索之後，引起了我對韓國史、世界史，以及地理等的興趣，後來自然而然的變成不需要特別做功課，我也可以掌握整個歷史的流向。甚至當時我所閱讀的那些有關歷史方面的書籍，如今更成為我美術史研究的重要基礎。

不過，國中畢業之後，圖書館對我而言，除了是個圖書室之外，沒有其他任何意義。由於每天過著被時間追逐的生活，根本沒有多餘的時間看課外讀物，圖書館也淪落到是為了因應考試，可以安靜的複習參考書或習題的地方。

對我而言，圖書館開始真正有著圖書館意義，是我在法國留學的那段時間。

在法國領悟到的圖書館教育

三十三歲的年紀，帶著一個五歲的女兒，踏上法國留學之路後，發現這一切並沒有想像中那麼容易。對於一個邁入三十歲中旬的歐巴桑而言，留學生活是既艱難又辛苦的。

每當週末時，我為了想擁有一個較舒服自在的心情，所以我開始到圖書館。那有著很多的書籍和高高天花板的寬敞空間，永遠迎接因為不適應國外生活，而感到疲憊不堪的我和我女兒。

我女兒雖然不知道內容，不過看到色彩繽紛的圖畫書後，就會感到很開心，因此我更加喜歡到圖書館去。圖書館帶給疲憊不堪的我們安慰的作用，如今當我推開圖書館的大門，踏進去的那一剎那，依然會感到彷彿進入新世界的興奮，和熟悉的空間所帶來的安定感。

當看著女兒和那些牽著父母親的手來到圖書館的法國小孩，用眼神打招呼後，就能成為玩伴，並很快打成一片之際，我一週來感到疲乏的心情，就會得到很大的

安慰。而且託女兒的福，我也很容易與那些驕傲的法國夫人們變得比較親近。

法國媽媽們個個都非常真誠的唸書給孩子聽，當我看著那種讓自己的想法與孩子的想法交流的畫面時，我開始回頭檢視一直以來我對孩子的教育方式。

第一次關心圖書館教育，是因為珍兒的幼稚園教育是在圖書館形成的。

在法國幼稚園的教學中，有一項每週固定在圖書館和美術館裡，和老師一起看圖畫書學習表現方式的課程，因此，我和珍兒就這樣自然而然的熟悉了各項公共機構。

當時不會一句法語的珍兒，接受圖書館助理老師的補充課程，每天拿一本書和老師盡情的溝通，並製造新的內容，如此一來，珍兒很自然的融入了法國式的思考與生活模式。

這樣與老師一對一的學習之後，珍兒法語能力進步的速度讓我感到驚訝，因此，我也經常利用假日或沒有課程的星期三到圖書館去，與那位唸書給珍兒聽的老師一起進行圖書館教育。

在巴黎，所有的公共圖書館裡，都會為幼兒和兒童安排課程，而那份課程會分期整合後，把它印製成一本手冊，提供給使用者。

不論是詩、小說、歷史等，手冊內都詳細記載著，而且隨著不同領域，分別有故事教室、玩偶劇、電影、外語、工作畫室和特別節目等不同的活動，而這些是何時在何地舉辦，都在手冊中一一記載，讓使用者可以一目了然，因此，居民們很方便地就能選擇自己想要觀賞或學習的內容，並於三個月前訂定計畫。

由於在安排每個課程時，圖書館都不會讓日期或時間重疊，因此，只要有自己喜歡的公演或書籍的研討會時，法國的父母們就會帶著孩子一起前往舉辦活動的圖書館。

而且，為了可以服務到無法另外安排時間的雙薪家庭，圖書館會在每個星期六的上午，安排個別幫孩子閱讀童話故事的課程，讓一位伴讀老師（Booksitter）代替父母親，與孩子一起利用圖書館。

也就是說，圖書館裡的所有項目，都為那些需要的人無限的開放。

法國不像韓國有這麼多的補習班，更正確地說，因為在補習班裡可學習到的，在學校和圖書館裡都可以學習到，因此，根本不需要補習班。

而這樣的情況不只是法國，整個歐洲和美國都是如此。

公共圖書館備有多元化的課程，不但為幼兒服務，甚至還會為外國人安排語言

講座、在放學後為那些成績落後的孩子們進行課業輔導等等。

此外，圖書館的佈告欄上，還隨時刊登著居民們可以買賣的二手物品、住宅情報、各種公演或活動等各式各樣的海報，讓每個人可以方便地交換資訊。

圖書館不但是萬物商，而且是萬人皆平等的地方，因為它不但開放給那些街友、藥物或酒精中毒者，還會盡力協助那些人再度回到社會中。

由於所有的課程對那些被社會忽略者、貧困者、富豪、二度就業的主婦、雙薪家庭等全部一視同仁，因此可以讓居民們不分你我，共同參與該區域的社會活動。

珍兒與我透過圖書館的巡禮，除了巴黎，甚至還可以觀察到其他地區的面貌，並且也獲得相關的地區資訊情報。

例如：對於教育方面有疑問時該如何解決、哪一所學校有什麼樣的活動、哪一家醫院比較好、給予外國人哪些福利、哪一家麵包店的麵包有名、哪一家咖啡廳的咖啡好喝等，都可以一一瞭解。

換言之，我要在法國學習的一切，全都在圖書館裡，而這一點也讓我深深體會到，真正的圖書館教育是什麼。

全方位的、可以替代私人教育的圖書館

我們經常會把圖書館誤認為圖書室，其實圖書館有著除了圖書室以外的意義，也就是說，它應該是該地區居民一個終生學習的場合。

這裡所謂的終生學習，是指從出生開始，直到死亡，皆可以學習的一貫式學習形態。

不過，只要提到教育，大部分人的認知都是入學之前，是在幼稚園和家庭；入學之後，則是在學校與補習班；而自學校畢業之後，教育就結束。

而這是我們錯誤的想法。其實，每個人的腦海裡都知道，教育是家庭、學校及社會三者相輔相成，才能形成。

但是，實際上，大部分人卻忽略了「社會」這一個要素，把教育完全交給了家庭與學校，導致家庭與學校相對的承受了很多壓力。

另外，也由於政府沒有任何對策，可以填補無公立教育的缺漏，以及減少父母對於家庭教育的不安全感，導致產生現今這種費用昂貴，且良莠不齊的龐大私人教

育市場。

然而，對於這些，我們難道真的沒有任何可以解決的方案嗎？

不是的，我們有很多方案可以替代由於種種副作用，導致病入膏肓的私人教育，只不過是我們並沒有給予關心，而這其中一個方法，就是被我們忽略的、可以提供社會教育的公共圖書館。

所謂的社會教育，就是以一般社會大眾為對象的教育，而所謂的公共圖書館就是指國立、市立、區立、社立圖書館。

韓國的社會教育法自一九八二年修正以來，將社會教育定義為「除學校教育之外，為了全體國民終生教育，所有具組織的教育型態」，其中包括了設立講習所和圖書館，作為除了學校教育外的國民教育及幼兒教育之場所。

由於我們時時刻刻都與社會共存，因此需要社會教育。而且，只要我們活著的一天，社會教育就會持續下去，所以也可稱為終生教育。由此可見，圖書館的利用可以從幼兒時期開始，持續到銀髮時期，是不爭的事實。

圖書館可說是整個世界的縮小版，這一點我們可以從圖書館的內部配置中發現。圖書館的內部設備包含了幼兒室到成人室，從功能面來說，還有閱覽室、論文

室、多媒體室、講座室、終生學習室、資料室、餐廳、休息室等，非常多樣化。

閱覽室，是為了自己想要學習；論文室，則是為了參考世界各國研究人員的研究報告；多媒體室，是為了學習外語及使用網路的線上傳輸功能，來索取資料與情報；講座室，是為了擁有共同興趣與關心共同事物的同好們，或其他活動而開放。

終生學習室，則是屬於圖書館的教育活動，為了協助區域居民們的終生學習，提供費用低廉且內容優良的各項課程。再加上可稱為圖書館核心的各種類型的書籍，讓人可以從中有效的取得個人需要的資訊情報，因此，圖書館是一個可以學習到任何自己想要學習的東西的地方，更是一個讓人想要教導也可以盡情教導的地方。

全家人可以一起使用圖書館

如同圖書館與讀書振興法裡明示，「圖書館應擔起未就學兒童之讀書教育」，一般來說，圖書館不但為未就學兒童安排了多樣化的節目，協助兒童可以閱讀以及

體驗世界，同時也為一起前來的父母親開啟各項再教育的機會，讓他們不被瞬息萬變的社會所淘汰，培養可以發揮自己能力的機會。

而圖書館最大的魅力，在於它是全家人可以一起使用的地方。

在我們周圍很多有益的公共設施，都是限定只為大人或只為兒童而設立，在那種地方，父母親只能做到接送孩子的角色；而要使用只為父母設置的設備時，一定要把孩子委託他人照顧才行。如此一來，孩子與父母在一起的時間就會愈來愈少，這樣的情況逐漸形成父母與子女之間的代溝。

不過，圖書館卻不會如此，平常，孩子可以和媽媽一起來；週末假日時，孩子則可以牽著媽媽、爸爸的手，一起到圖書館去，孩子可以在兒童室，父母親則可在成人室或資料室裡，各自享受圖書館所帶來的樂趣，並約好時間在草坪或餐廳見面，暢談各種話題。

這樣經常拜訪圖書館，讓孩子們自然而然的知道，「其實圖書館並不是學生專用的，而是就算未來成為大人後，還是可以一輩子接近的地方」。

換句話說，一次實際的行動，比苦口婆心的說十次還來得有效。

當然，這樣做的結果，也可能很容易讓孩子們成為媽媽們所期望的「很會讀書

的孩子」。

讀書是什麼？不就是學習新事物或不瞭解的問題的過程嗎？

而可以讓這樣的過程變為自己主動學習，並從中感到樂趣的地方，就是圖書館。

但是大部分的家長們卻從未想過要帶孩子去圖書館，反而費盡心思的讓孩子接受昂貴的課外補習。

不久前，我在電視上看到一則採訪「在楊川圖書館裡讀書的阿公」的新聞報導，我內心有種悲喜交集的感受。

我一方面感嘆在現今社會中，到圖書館讀書的阿公竟然都可以成為電視台採訪的題材；另一方面則是開心，從現在開始，不只在公園裡才能看到阿公阿媽們，在圖書館裡同樣也可以看到他們。

法國的圖書館裡，到處都可以看到阿公、阿媽們的身影。不僅是在公共圖書館，甚至在專業圖書館裡，也不難看到白髮蒼蒼的老先生、老太太們，帶著放大鏡專心閱讀，並細心做筆記的樣子。

一開始，我很納悶老人家們到底是在看些什麼書，所以去請教每天到圖書館報

到的老先生、老太太們，結果發現他們的答案都不盡相同。

有的人說，因為年輕時，沒時間去瞭解自己有興趣的領域，所以現在來慢慢探索；也有些人是想要瞭解自己的氏族背景，所以來查詢古書。

當然也有想要去旅行，所以事先準備自己即將要去的地方的美術館與博物館的相關資料；或是想要瞭解自己祖先所居住的地方，因此查閱以前的地圖等。

而他們的每一個答案，都讓我驚訝不已。

此外，偶爾為了探讀一百年或兩百年前所發行的古文書，讓我這種外國人感到非常吃力，但從老人家們親切的為我說明古文書內容的態度中，我深深體會到，為什麼圖書館可以稱為是終生教育的機構。

由於老人們的人生經歷，使他們所看到的世界、所產生的疑問，與年輕人的截然不同，這讓我再度深深體悟到，「學習是永無止境」的平凡真理。

圖書館是補習班，也是最具實力的課外老師

現在不只是我個人的學習與研究，與孩子有關的一切，也都是在圖書館裡完

成。從閱讀書籍、人性教育、知性教育、社會教育等，全部都是在圖書館裡解決。

我們全家人使用的圖書館，雖然設備有點老舊，不過周圍的景觀佳，交通也很方便，因此，有很多人喜歡來到這裡。

平常我先把老大送到學校，再把老二送到幼稚園後，就直接到圖書館去。直到老二從幼稚園回來之前，約五個小時，是屬於我的自由時間。

我通常在準備一些論文資料或演講資料，如果有多餘的時間，我就會閱讀平常想要看的書籍。唯有那一剎那，我不是某人的媽媽，也不是某人的太太，我可以不受任何干擾，享受我自己的人生。

當孩子放學來找我的時候，我又變回了一個幼稚園兒童的媽媽，拿著之前準備好的點心，和孩子一起到圖書館的草坪上品嘗，然後讓孩子玩一會兒後，再帶著他往幼兒室方向走去，在幼兒室閱讀先前選好的童話書，並與孩子一起聊天，瞭解孩子的想法。

而一星期中，大約有兩天會有伴讀老師來與孩子一起看書，此時我又可以擁有另一段自由時間。

老大放學之後會直接到圖書館來，每天有三個小時是屬於老大的閱讀時間。

也因為這樣的閱讀，讓從法國回來之後，因為韓文不夠流利，導致無法正確表達自己意思的孩子，利用短短不到一年半的時間，不但熟悉了韓文，甚至對於書籍的內容也可以說出自己的感想。

不僅如此，她還可以指出自己與作者有共識的部分，甚至可以依作家類別，區分出內容的特色。

我們申請參與一週兩次圖書館所舉辦的講座，這個學期申請的是漢字以及其他書籍的討論。下午的時間，我們全部用在圖書館裡閱讀或參加圖書館的課程上，到了晚上六點，兒童室要關閉時，我們就會準時離開圖書館回家。

週末的時候，老大在兒童室、老二在幼兒室、我在論文室，孩子們的爸爸則是在電子資料室，各自為自己的學習與啟發而努力。

通常我們的午餐是在地下室的餐廳吃，天氣好的時候，則會在圖書館旁邊的草坪上野餐，然後與孩子一起踢球、玩遊戲，這就是我們全家人一週的行程。

此外，我們偶爾也會和在公園與圖書館認識的朋友，玩直排輪或是騎腳踏車、到市府前去看水舞秀，這一瞬間，我從我的家庭中感受到無比的幸福。

我們把家、學校、圖書館當成生活的全部，我在圖書館裡解決孩子的核心教

育；學期中，我們則喜歡利用圖書館的教育課程，因為每個人可以申請兩種講座，所以我們總在課程公佈的第一時間，立刻申請。

到目前為止，我的孩子們都是透過圖書館的課程學習英語、閱讀童話書、參與韓文作文教室、學習中文等許多語言講座，也透過音樂講座學習陶笛，透過美術講座學習幼兒美術和魔術、摺紙等多項才藝，而孩子的爸爸也持續收聽外語講座。

只有我以忙碌為由，沒有參加教養講座，不過我計畫近期申請。

參與這些講座都是免費的，但，更正確來說，我是用我繳交的稅賦來教育我的孩子們。

如此利用公共圖書館，自然形成了社會教育。當我看著從學習如何對待圖書館的書籍、使用設備時應該要注意之處，進而在與他人的人際關係中表現慎重的孩子們，我感受到我沒有做到的部分，這個社會都替我做到了。

我不需要要求孩子用功讀書，孩子依然隨時沉醉在學習的喜悅中，不但自己問問題，並且自己尋求可以找到答案的方法。

試問，普天之下，還有比這個更優秀又省錢的教育方式嗎？

可以解決一切問題的圖書館

圖書館的優點無法用言語說盡，姑且不提讀書教育的效果有多卓越，其實它對經濟也有很大的附加幫助。

依目前韓國的現況，只要家裡有小孩子，便必須在生活費中撥出相當的費用作為教育費。根據某項資料報告，韓國的小孩從生下來，到大學畢業，所花費的教育費用高達韓幣一億以上（約台幣三百三十三萬元）。

而且，在國內吹起早期教育的風潮後，教育費用更是從幼兒時期就已經開始支出，因此，我預估過一段時間後，孩子的總教育費用還會不斷增加。

養育子女的過程中，我們必須配合孩子的能力，找出適當時機，做出正確的投資，我們通常稱這段時期為「觀察期」，如果這段漫長的觀察期能在圖書館裡度過，不僅可以節省補習班的花費，同時也節省了書籍的費用。

我們家的兒童讀物少之又少，不足以提供給我的孩子們閱讀，不過，由於不足之處都可以在圖書館裡得到滿足。因此，我不需要另外花錢買書，便可以讀到想要

讀的書籍，甚至連各種公演及展覽，都可以免費參與，這是多麼好的事！

每當放假時，因為費用問題，我們經常煩惱要帶孩子到哪裡去旅遊，此時如果去探索各地區的「神奇圖書館」、博物館或美術館等，接觸當地的特色與當地的居民，不但不需要花龐大的費用，也可以因而得到有趣且具教育性的經驗。

我們不必站在大人的角度去擔心「孩子們會喜歡去圖書館嗎？」這種問題，只要告訴孩子們，去圖書館不是為了讀書或做功課，而是要去遊玩，相信此時圖書館就會馬上變成遊玩的場所。

培養出比爾蓋茲的家鄉小圖書館

被稱為是世界上最成功的人之一的比爾蓋茲，說過一句非常著名的話：「培養出我今日成就的，是我家鄉的一個小圖書館。」

當身為一個尖端事業的代名詞——微軟的最高經營者，說出自己的能力泉源，是來自於幼年時期家鄉的小圖書館時，全世界的媽媽們都應該要好好思考這句話。

圖書館教育最大的優點，是孩子們可以在其中主動尋找自己所需要的資訊。而且，圖書館的使用方法是全世界統一的，只要從小就熟悉，不論到世界任何地方，都可以有效取得資訊情報。

現今是資訊化的社會，資訊不足的無知時代已遠離了我們，可以在圖書館中找出自己需要的資訊，並充分利用的人，將會成為集團或企業領導人！

換句話說，在眾多資訊情報中找出自己的需要，並適時應用的能力，儼然已成為開啟成功之路的鑰匙。

因此，圖書館的教育法是比英語或數學更重要的，我們一定要教導子女如何使用。

從小就會善用圖書館的孩子，可以在眾多書籍中找出自己需要的書，再從那本書裡找出自己需要的內容，將它變成一個有用的資訊。也就是說，這樣的孩子擁有主動找尋資訊情報並加以分析的能力。孩子在區分出欲找尋的主題，並閱讀其內容後再加以分析的過程中，自然學會理解的方法。

以我的孩子為例，不僅是老大，甚至連老二，在每次拿書或放置的過程中，已經自然而然的瞭解圖書館裡是依照怎麼樣的順序來放置書籍，內容類別與作家類別

又是如何區分等，甚至到後來還可以把書庫裡的順序背下來。

如果他們不知道書籍的位置時，只要有關鍵字，就可以自己從電腦中找到它來閱讀。

此外，由於其他人的錯誤，而導致書籍放置在不屬於該書籍的位置時，他們還會主動把書放回原來的位置。

最讓我感到好奇且欣慰的是，一開始看到堆積如山的書籍，而毫無頭緒地隨便拿來閱讀的孩子們，隨著時間的過去，開始會訂定自己有興趣或關心的領域，而且還可以明確指出哪裡有哪些資料。

這樣過了一段時間之後，他們已經成為可以在最短的時間內，找出最有效的資訊情報的孩子。

我會讓孩子們不僅把他們所搜集到的資訊情報，甚至連閱讀後我們所談過的話，以及孩子們的疑問等，都簡單的記錄在「圖書館筆記本」裡，這樣的記錄隨著時間不斷累積，便成為一本很優秀的資訊情報。

而且，以此筆記本為主軸，可以再次檢視孩子們的能力。此外，由「圖書館筆記本」的記錄，更可以親眼確認自己的閱讀成效。

圖書館是可以傳承給孩子最珍貴的資產

在韓國時，家人對我大女兒的暱稱多半是「我們家的寶貝」、「我女兒」、「我的孫女」等，而這卻導致我在法國的生活中碰到了最大的難關。法國的孩子從小就有著除了是家族成員之外，同時也是社會上一分子的強烈意識。擁有自己是社會一分子意識的法國孩子們，不論走到哪裡，都抱著自己是我居住的區域、我國家的一分子的想法行動。在看圖書館的佈告欄或美術館的資料時，第一步便會先區分自己居住的是哪一區，然後從屬於自己居住地區開始查詢。

根本沒有這種區域共同體意識的珍兒在剛入學時，甚至受到問題兒童的待遇。因為在韓國，大家認為「是小孩，所以可以不在乎的事」，在法國根本行不通。法國小孩們就算不認識，也可以很快的打成一片，並且知道先禮讓他人，不過這一切對珍兒來說，都是陌生的、生疏的。

珍兒在學校都是主張「我先」、「我的」，毫不禮讓，因此受到老師與同學們

的強烈注意與指責。不過，讓這些問題自然消失不見的就是圖書館。

圖書館裡所有的資料與書籍是大家共有的，透過利用圖書館的過程中，不是「我的」而是「大家一起使用」的意識，在不知不覺中，逐漸滲透到珍兒的腦海裡。

而可以讓珍兒意識到街友與乞丐也是市民一分子的地方，就是巴黎的公共圖書館。

一開始看到那些身體散發異味又骯髒的大人，珍兒只會感到恐懼，所以總是躲在遠處觀望，甚至偶爾有人稱讚她漂亮，想要和她說句話時，她都會躲到我身後。不過，當珍兒經常接觸他們之後，她漸漸瞭解到圖書館是任何人皆可使用的地方，並且開始會用眼神與他們打招呼，這就是珍兒在圖書館學習到的一種生存方式。

當圖書館的使用生活化之後，就會瞭解到其中存在的一種共有法則，換句話說，可以親身體會到圖書館裡所有的書籍以及使用規則，並不是為了某一個人，而是為了大家所設立的。

當然，圖書館的這些好處，孩子們不可能在一夕之間完全熟悉，不過，我們要切記，如果經常使用，孩子們就會自然而然地瞭解。

我們要銘記，水能穿石，並不是因為水的力量，而是因為水去敲擊石頭的次

數。

對我們家族而言，圖書館是第二個家，相信未來孩子成長之後，想要追尋某件事，或在自己的人生中面臨新的挑戰時，他們一定會毫不猶豫地到圖書館尋求答案。

此外，當孩子們感受到自己可以在社會上受到如此的福利成長時，就能瞭解到，除了父母之外，還有社會的存在，同時也確信自己本身也是存在於社會中。

如果為了孩子的未來著想，相信沒有比圖書館更好的教育場所了。

教導捉魚方法的圖書館

養育孩子的過程中，無法擺脫經常存在於自己心中的不安感，其中主要的原因是身為父母的心態不夠完善，以及這個社會的不安定所致。

在心態不夠完善的父母，以及不安定的社會影響下，我不禁自問：在孩子可以自立自主之前，我能為孩子做什麼呢？

猶太父母的教育方法不是捉魚給子女，而是從捉魚的方法開始教導子女。不只是我，相信所有的父母在養育子女的過程中，最憂心的就是要如何教導孩子捉魚的本事。

如果以現代社會來解讀這樣的情況，應該是「不是提供現成的資訊情報，而是要教導孩子尋找資訊情報的方法」。

現代人生活在資訊情報的洪流當中，不過，要找到自己需要的資訊來運用並不容易，畢竟現今已不是因為「不知道」而「不能做」的時代，而是因為「不知道」所以「找不到」的時代，我選擇圖書館作為最好的教育場所的原因也在於此。

圖書館不但可以讓孩子自己主動尋求資訊情報，也可以讓孩子擁有區分出對自己有用的資訊的能力。換句話說，這裡就是教導孩子要如何捉魚的地方。

許多父母親都知道圖書館好，卻忽略圖書館的原始意義，只把注意力放在圖書館是沒有經濟負擔、可以隨心所欲借書之處。其實，圖書館不是書的墳墓，更不是保管所，而是有著活生生的知識，並教導你如何生活的場所。

在圖書館與孩子一起找想要看的書籍，閱讀後放回原位時，自然會對周圍的其他書籍產生興趣，如此一來，好奇心就會慢慢擴展。

偶爾為了瞭解更廣闊的領域而找尋書籍，卻沒找到時，就會申請自己需要的書；如果該書已經被借出，就會仔細的查詢歸還的日期，到了那一天，就會重新找尋那本書。

孩子們的「求知慾」是最基本的本能之一，為了滿足孩子這樣的本能，在到處搜尋的過程中，不知不覺地，我也和其他媽媽們一樣，成為圖書館的管理員，開始細心的查訪書櫃的每一個角落。

偶爾發現到童年時期閱讀過的書籍時，我會推薦給孩子們，並說：「這本書媽媽小時候看過，是一本非常有趣的書，沒想到它換了封面又重新出版了，以前的圖畫沒有像現在這麼鮮豔，我想是因為當時的印刷技術沒有現在這麼發達，因為有這麼漂亮的圖畫，所以我想再看一次，你要和我一起看嗎？」

閱讀書籍的時光固然很好，不過，在書庫間到處穿梭找尋書籍的時間，就好像米開朗基羅（Michelangelo）為了從大理石裡取出生動的靈魂，每天不斷地苦惱且激烈地敲擊石頭般，我同樣為了從書籍中得到那種生動的感覺，而穿梭在圖書館間。

珍兒的圖書館冒險記

記得我曾經帶珍兒到巴黎龐畢度（Pompidou）圖書館，龐畢度圖書館是現代美術館的附屬機構，與其他公共圖書館不同之處是，它沒有另外設置兒童圖書館。每當公共圖書館週日休館時，我和珍兒就會來這裡。而珍兒總是坐在我身旁畫畫，或閱讀各式各樣的童話書。

有一天，珍兒在圖書館裡不見了，我心情慌張的跑到圖書館的二樓、三樓尋找，結果在多媒體播放室發現了珍兒。

龐畢度圖書館的多媒體室設在閱覽室的中央，裡頭放置了很多音樂CD和LD，還有電影DVD等等東西。因為當時我從未使用過那個地方，所以根本沒想到珍兒會到那裡去，在那裡找到珍兒，我感到非常意外。

「珍兒，妳怎麼會知道這裡呢?妳應該從來沒來過多媒體室啊!」

「因為我太無聊了，所以我請教圖書館管理員姊姊，有沒有我可以看的電影或可以聽的音樂，姊姊就告訴我來這裡的呀!所以我現在正在看很有趣的漫畫。媽媽，我會待在這裡，看完之後我會去找妳，妳放心的去讀書吧!」

為此，我嚇了一跳，我沒想到珍兒已經可以在這個只來過一兩次的圖書館裡，找尋自己想要的東西。

此後，只要到龐畢度圖書館，珍兒就會依圖書館管理員姊姊的建議，欣賞兒童用紀錄片或漫畫、音樂等來打發時間，而我就可以放心的準備學校研討會需要的資料。

甚至就算到巴黎的其他圖書館，珍兒也會比我先瞭解圖書館的周圍，同時檢視館藏書籍和其他資料。看完佈告欄的內容，瞭解幾樓是兒童專用的樓層，幾樓是放置藝術相關的書籍後，珍兒會對我說：「媽媽，妳先到三樓去借書，然後再到五樓來找我。」說完，她就自己先到五樓去。

在圖書館開始養成的這種習慣，自然也可以用在美術館或博物館方面。

歐洲的展覽館為了方便遊客，會提供多國語言的作品導覽錄音帶，珍兒不論到任何一個美術館或博物館時，都會在多媒體室借出法語版的導覽錄音帶，然後帶著美術館的地圖，按著美術作品旁邊的號碼，專心的聆聽並觀賞作品。這時，我們都是各自行動，並在每一層的入口處會合，再一起往另外一層移動。

有時候，珍兒會對我說：「媽媽，妳看過那間灰色房間裡的弗里德里希（

Friedrich）的畫嗎？我發現了幾幅很漂亮的畫耶！」然後她便會牽著我的手，帶我到那幅畫前。

偶爾，如果運氣不錯，碰到有解說員引導的隊伍時，我們就會跟在他們的隊伍旁，聆聽解說員詳細的說明。

當我們邊聽說明，邊觀賞大部分的圖畫時，我們很快的發現，畫家的回顧展是依時代的順序安排，在幾乎是展覽末端的某一張畫面前，珍兒會說：「這一幅畫應該是他到天堂之前所畫的吧？」她沉醉欣賞的模樣，讓我的嘴角在不知不覺中出現淺淺的微笑。

無論任何學問，應不斷追尋後，將它變成自己的

回到韓國後，我把在法國時用來教導珍兒的圖書館教育法，直接用於老二時煥的身上，沒多久孩子馬上出現變化。

「媽媽，恐龍是在500，兒童的讀物是在800。」如果有自己想要看的書籍時，

他就會跑到那個號碼面前，專心的找尋自己想要看的書籍。

圖書館裡的圖書排列順序，是世界各地都相同的，都是以主題類別來區分，並以100為單位所形成，只要知道這個原理，就很容易找到想要的資料。

我們家的孩子們自己會以主題別來區分自己想要看的書籍，然而，他們會瞭解這樣的原理並不是我教導的，而是自己從圖書館裡學習到的。

不論到哪一個圖書館，我們會看到有些媽媽們像參加比賽一般，借出一堆書籍，雖然媽媽細心借書回家給孩子看是件好事，不過，如果可以讓孩子親自到圖書館找尋自己想閱讀的書籍，並親自借出，更是一件好事。

一開始自己親身經歷，也許會有些困難，不過，當知道自己想要什麼後，在找尋的過程中，很快就會適應那種便利性。

例如：在書庫前看到一系列適合從幼兒用到國小生的有關車輛的書籍時，自然而然就會瞭解到專門介紹車輛的書籍號碼是600起頭，而有關車輛的童話書則是800起頭。比起媽媽幫忙找，自己多花點時間一一去找尋後，不但可以瞭解到書籍的內容，也可以瞭解圖書館本身。

與孩子們一起探索圖書館的過程中，我每次都會對他們說：「珍兒、時煥，世

界上你們要追尋的東西非常多，希望你們可以找到很多，並盡情的享受！」

雖然我不知道孩子們是否能聽懂我話中的意思，但是，我深信，總有一天，他們會瞭解的。

與其買很多書籍，不如多閱讀書籍

留學回來不久，第一位到我們家的客人不是別人，正是推銷書籍的業務員。因為看他挨家挨戶的推銷，心中感到不捨，我開啟了大門讓那位業務員進來。

當對方問我有幾位子女，而我回答有兩個時，對方突然環顧了我家一眼後，對我說：「貴府好像沒什麼書，孩子應該從小就要閱讀很多書。」然後拿出一大堆的目錄攤在我面前。

選出一堆兒童必讀的書籍後，他在我面前敲起計算機。他告訴我，這些必讀的書籍需要兩百五十萬左右（約台幣八萬三千三百元），而且書籍的內容對進入學齡前的兒童應該不難。

他還對我說，現今社會如果家裡有四歲左右的幼兒，擁有幾套價值幾百萬的高水準書籍，是基本的。並且還非常驕傲的說，自己會成為書籍業務員也是為了孩子，而自己的收入也全部投資在孩子的書籍方面，因此目前家裡大約有兩千多本書。

我靜靜的把我家孩子們的圖書館筆記本拿給了那位業務員看，並且告訴他孩子有幾本書不重要，重要的是孩子究竟閱讀了多少書籍。

有一次，我以特別來賓的身分參加某電視台的節目，探討圖書館教育的重要議題，結果因為孩子的「擁有意識」，產生激烈的辯論。

主持人主張為了滿足孩子的「擁有意識」，一定要買書籍給孩子，當滿足「擁有意識」後，就可以教導分享，所以自己買了六千本以上的書籍給子女。

當然，我承認「擁有意識」的重要性，不過，我認為孩子對於書籍的「擁有意識」，是階段式發展的，而我把孩子可以擁有書的時機計算得比較晚。

我個人認為，在把書籍當成玩具，放在嘴裡又咬又吮的幼兒期，是不需要買書的。但是，到了可以理解多方面書籍的內容，並開始有自己志向的國小高年級這個時期，書籍並不是看完一次後就結束，而是要像朋友一樣放在自己的身邊看一輩

子，所以，單從圖書館借書來閱讀，是無法滿足他們的求知慾的。此時期理所當然要買書，並將書中的學問變成自己的。

話雖如此，但這並不代表進入國小高年級之前，絕對不可以買書。就算在訂定自己志向之前，只要是孩子有興趣且喜歡的書籍，我依然會為他們購買，如果那本書絕版無法買到時，我也會想辦法到舊書店去買二手書。

如果買一本真正喜歡的書給孩子，只要仔細觀察，就可以很容易的瞭解到孩子對哪一方面有興趣，也很容易發現孩子的才能。

我們家裡屬於孩子的書籍並不多，但是我們家孩子所看過的書籍，其分量足以填滿一所圖書館。當我想像如果把那麼多的書全部買回家，我已經有種毛骨悚然的感覺了。

不要讓孩子只是擁有書籍，而是要擁有書中的內容

若是對於書籍有著強烈的擁有意識，這樣的意識很有可能成為瞭解書籍內容的

絆腳石。

當我們到世界各國的圖書館時，可以發現很神奇的一點是，很少有書籍是被塗鴉或被損壞的情形。這不是來自於圖書館設備的差異，而是來自於使用者的禮貌差異。

我們的自我意識非常強烈，尤其認為一定要在書上畫線塗鴉，才能真的成為我的東西。如此一來，就算是在圖書館借閱的書籍，也會習慣性的畫線或隨便塗鴉。不過，比起畫線做記號，另外記錄自己的想法反而比較好。因為記錄是另外一種形式的創作。

為了瞭解書的內容，因此在重點部分畫線的動作，很有可能是因為對於書有著強烈的擁有意識，所引起的一種潛意識動作。但是，我們應該要擁有的不是書籍，而是書中的內容。

我們應該要拋棄想要擁有書籍的心態，轉而抱持著想要擁有書中內容的想法，就不會在書中畫線或塗鴉，自然而然的會養成將書中重要的內容，或自己的想法另外記錄下來的習慣。

講到這裡，我向各位敘述我第一次參加研討會的經驗。

當時，我是抱著無限的期望參加那一場研討會，但我卻連發表的機會都沒有，因為指導教授有著「亞洲學生根本不瞭解什麼叫做研討會」的偏見，導致我的發表機會被剝奪。

帶著一顆又氣憤又冤枉的心情，冷眼旁觀法國學生們的研討會後，我不得不屈服。

在韓國，提及大型研討會，就是先唸一下事前準備好的發表文，然後加以說明，再來便是接受問題的詢問。而這裡的研討會就像戰場一樣，發表開始沒多久，教授們與學生們就會從四面八方提出很多尖銳的問題，雖然發表者事前準備好約二十張A4紙左右的內容，不過，在整個研討會過程中，只會唸完一、兩張。

這樣的發表方式已經帶給我震撼，但讓我更震撼的，是那位學生的書上貼滿了黃色便利貼。

我是外國人，必須要查單字，而且要記錄內容，所以會貼便利貼，但對那位同學而言，書裡的內容是用他國家的文字所寫的，為什麼還需要貼那麼多的便利貼呢？

我實在太好奇了，因此要求他借我。好不容易向他借到了那本書後發現，那位

同學所貼的那些便利貼上，全都記錄著自己與作者不同的觀點與想法。

從緒論開始，以作者的觀點為基礎，對於作者所寫的每一個字句，一一註明自己的想法和理由，這樣邊寫邊閱讀到後半段，後半段提及的內容與前面不符時，就以辯駁的方式正式進入分析，其用心程度達到如果把那些便利貼取下，貼到別的本子上，就會變成自己的著作。

直到那個時候我才明白，為什麼他的書上沒有畫線或塗鴉。透過這位同學，讓我真的瞭解到，透過作者創造屬於自己的內容，這樣才算是真正的擁有書籍。

從此之後，我在閱讀書籍的時候，便開始一邊做筆記，一邊閱讀。我也以這樣的方式教導我的孩子們，所以對於我的孩子們而言，在書裡面塗鴉或畫線，是一種非常陌生的舉動。

我再舉一個有關擁有意義的例子：市面上銷售的幼兒書籍當中，我的孩子們非常喜歡一本由David Small插圖、Sara Stewart撰文的叫做「圖書館」的書。第一次在圖書館看到這本書之後，由於太喜歡，所以去書店買了一本帶回家看，這本書我們不論看幾遍，都不會感到厭倦。

這本書是以瑪莉·伊麗莎白·布朗的傳記形式呈現，帶著一點誇張及風趣，讓

讀者會不自覺的會心一笑。

主角伊麗莎白・布朗用自己喜歡的書籍堆滿家中，最後甚至到達無法打開大門的程度。因此，她下定決心到法院去，把自己的財產全部捐獻給自己的村莊。把自己的家變成「伊麗莎白・布朗圖書館」後，她便住在朋友家裡，每天到自己捐獻的圖書館去看書。

這本書的內容雖然有些誇張，不過，主角伊麗莎白的喜悅，不是來自於自己擁有那麼多書籍，而是可以與大家共有以及享受書中的內容。

每當看完這本書後，我都會再次領悟到，圖書館真正的意義不是自己擁有，而是共有，也就是「無擁有的擁有」。同時，也讓我再次確定，圖書館能告訴現今社會中自私的我們，什麼是「真正的擁有」。

圖書館不是為了培養一個英才而存在，是為了萬人存在的，它會根據每個人不同的能力，讓每個人都能從中找尋並瞭解人生的道理。

也因為不是我的，所以可以讓我們認知到，每個人是在社會當中一起成長，共同生存的。

愈常使用圖書館，得到的就愈加豐富

寄件人：○○圖書館
寄件日期：Friday
受件人：leehyun919@hotmail.com
內容主旨：給李賢 君

您好嗎？

這裡是圖書館一般資料室，您所申請的圖書「兒童圖書指南——博物館 圖書館 學校是一體」，已於二○○四年十一月十九日備置於圖書館裡，並另外保管當中。為了提供圖書申請人可以借閱的機會，我們會另外保管一週（至二○○四年十一月二十六日止），這段期間，我們不會開放予一般大眾，請申請人參考。謝謝您！

今天，我收到一封圖書館寄給我的電子郵件，通知我幾天前所申請推薦購買的書籍已經到達。

我喜歡圖書館另外一個原因，就是能夠擁有「在等待之後，可以拿到」的一種樂趣。這個時候，我彷彿有種書正在等待我的錯覺。因為那本在等待我的書，讓我再次確認我就是圖書館的主人。

我在書店如果發現想要閱讀的書籍時，會先大約的看一下目錄及序文、後記等，然後馬上到圖書館去利用電腦搜尋，如果有這本書，我就會借閱，不然就到推薦購買書區填寫申請事由，請他們準備。

不僅是孩子們想要看的書籍，甚至還包括我專業領域的書籍，或其他我關心的領域的相關書籍等，我都是以這個方式來處理。

在圖書館閱讀相關資料之後，如果判定這是一本我需要的書籍時，我才會到書店去購買這本書。

我是在留學時期養成這樣的習慣，因為法國的書非常昂貴。當時，我翻遍了巴黎所有的圖書館找尋我想要的書，然後辦理借閱申請後閱讀，接下來就是到二手書店去，花幾天的時間才把書弄到手，那種快感，至今我依然難以忘記。

偶爾在跳蚤市場以非常低廉的價格買到古書時，那天就是我的幸運日，可以讓我開心一整天。

在這樣的尋找及等待中，書籍的內容已經不知不覺中滲入我的腦海裡，當那本書真的來到我手中時，書中的內容可以說絕大部分已經佔據了我的內心。

回到韓國之後，這樣的習慣一直持續著。雖然比起巴黎書價來說，韓國的書非常便宜，但是這不是因為經濟上的問題，而是為了篩選玉和石，所以才會如此過濾。

因為有很多非常相似的書籍，不過是改一下書名或形式，透過不同出版社出版；還有一些書籍則是書名非常引人注目，內容卻乏善可陳。在這樣的情況下，除了親自閱讀一次外，沒有其他更好的方法。

由於這樣的原因，我會在書店先大略瀏覽之後，再到圖書館去看，並且判斷這本書是否需要購買。

我們應該多加利用圖書館如此多元化的服務，及推薦購買圖書的申請，如果一個人每個月平均申請一本書，相信我們社區的圖書館，馬上就會變成一個藏書量豐富的圖書館。

圖書館是公共機構，公共機構感受到的最大壓力來自民意，對圖書館來說，民意就是使用人的圖書申請，因此，只要有記錄，圖書館就要為民眾處理。

不推薦購買自己想要看的書，卻一直抱怨圖書館裡沒有可看的書，是錯誤的行為。

請圖書館準備自己想要看的書籍，是使用圖書館的市民理所當然的權利。我們要堂而皇之地善用那份權利，圖書館的藏書才會更加豐碩，如此一來，會有更多的人使用圖書館，到時所有的福利都會轉移至我們孩子的身上。

當我針對圖書館使用法演講時，經常會碰到很多人說，圖書館裡沒有值得看的書籍。當然，圖書館裡的館藏圖書隨著地區不同，會有很大的差異，但就算如此，我們也不該只知抱怨，卻依然放著不管。

圖書館是公共機構，是國家利用人民的稅賦經營的，如果居民們不要求，相對的其福利也會縮水。隨著使用率的多寡，不但提供的書會增減，甚至圖書館的相關預算也會有所增刪。

對於那些因為沒有可看的書而抱怨的人，我會毫無猶豫的對他們說：「請問，您有申請您沒找到的書嗎？圖書館的藏書是根據地區使用者的需求而有所不同，請

主動申請自己想要看的書籍。」

當我這樣說時，經常看到很多人都會抱著一種否定的想法，並用不以為然的態度說：「推薦購買圖書？那不過是擺著好看的，根本沒有任何功能。」

會有這樣的反應，是因為長期以來，公共機構給予市民們太多不值得信任的作為，讓市民心中充滿不信任感所造成。不過，現在我們不需要擔心這一點，當我們在薦購圖書的網頁上申請時，他們一定會為申請人準備，除非你申請的是考試相關書籍或參考書，以及稀奇古怪的書籍之外。

圖書館是活的，是根據我要求的程度不斷在改變，當我申請的薦購圖書一本、兩本的累積時，我有種自己是這個地區真正居民的感覺，甚至我會因為我為所居住的地區盡了一份力量而更具信心。

我的一個小小的行動，不只是為我自己，甚至是為我的孩子們或其他使用者謀到了福利，這不就是一樁美事嗎？

圖書館的變化與我們孩子的成長有直接關連，讓圖書館與我們的孩子一起成長，期待孩子們能因而擁有光明的未來！

利用圖書館並不限於閱讀書籍而已

圖書館不是為了崇拜書籍而建立的殿堂，也不是充滿書香味的寺廟，所謂圖書館是可以重新思考蘇格拉底的隱喻的地方。

我想，蘇格拉底可能是第一個認知到積極學習的優點的人。蘇格拉底的教育方法是給弟子們很多的問題，並以問題的答案做深入的討論，引導出新知識。這樣的方式，可以讓弟子們把之前不知道的知識，用於已經知道的知識上。

諾曼・庫經思把圖書館比喻為蘇格拉底的隱喻，我相信其原因就是要證明這樣積極的學習，就是圖書館扮演的角色。

積極善用圖書館的原則也與這個相同。去圖書館之前，要利用很多的問題與理由分析為什麼要善用圖書館，當答案出爐時就要到圖書館去確認。每個人的原因不同，因此確認的方法也是各式各樣，眾多方法之一，就是利用書籍。

積極地善用圖書館，也可以套用在積極閱讀書籍的原則上。從小就應該帶孩子到圖書館，並告知孩子們，讓他們明白圖書館與書籍是人生的一部分。

在孩子大約兩歲左右，與其為孩子朗讀幾十本的書，不如篩選幾本書籍，並為孩子不斷的重複朗讀，反而更有幫助。

不過，當孩子的集中力與興趣增加時，也要增加閱讀的量。

從小就要對書籍與圖書館有正面的印象，如此一來，孩子不論在面對任何書籍時（例如外語原文書籍），才可以克服排斥感，並且習慣公共機構。

不過，我們不難發現圖書館的利用，依然強調閱讀書籍方面。

不久前，我看過一份以國小學生為對象，做一項使用圖書館的頻率，以及不使用的原因方面的調查報告。對於「為什麼不去圖書館？」的問題，許多學生的答案是——沒時間、看書很無聊、因為要讀書沒空、媽媽不准我去等。而針對一般社會大眾的調查結果則是——因為覺得不需要、離家太遠、沒有可看的書籍、開放時間太短等。

如同這項調查顯示，很多孩子們與父母親，都把圖書館限定在一個只能閱讀書籍的地方。而從中也可以發現，父母大部分都有著與其看課外讀物，不如利用那個時間去看對課業有幫助的參考書的想法。

利用圖書館並不意味著只是去看書而已，如果只單純限定在看書這方面，我們

大可利用大型書店、家裡、學校、遊戲房、幼稚園等，任何地方都可以看書。

圖書館不是存放書籍的倉庫，如果只有藏書和租借的機能，我們不一定要利用圖書館，我們可以到書籍出租店或到書局買回家。

在西方國家，非常鼓勵大家就算看一本書，也盡量善用圖書館。這不但是要大家節省購買書籍的錢，同時也是為了要培養正確的閱讀習慣。

在某個統計中指出，現今社會的孩子們，經常發生「閱讀障礙」。所謂閱讀障礙，不單純只是不會閱讀書籍，無法理解書中內容，而是指喜歡閱讀成人書籍的閱讀早熟兒童、只閱讀一種類型書籍的閱讀偏食兒童、不瞭解內容重點只是盲目的跟著故事閱讀的閱讀過多兒童、無法明確區分書中世界與現實世界，導致引起很多問題的閱讀分裂兒童、無法完整閱讀完一本書籍，因此就像母雞蝕米一樣，每本書都只看一點點的閱讀不穩定兒童等。

造成上述種種情況的原因，是由於一開始就沒有養成的良好閱讀習慣所引起。閱讀書籍不是單向的內容傳達，而是要真心與書對談，整理自己的想法，這樣正確的閱讀習慣才能治癒閱讀障礙。而最佳的治療場所就是圖書館。

正確的使用圖書館，才能良好的閱讀書籍。也就是說，積極善用公共圖書館，

相對的，就能積極增加閱讀書籍的量。

在圖書館閱讀書籍時，經常會碰到需要忍耐的事。例如：要忍耐到處亂跑或大聲喧嚷的孩子，甚至為了那些孩子，我們要一併接受管理員不友善的眼神；自己想看的書籍，剛好有別人正在閱讀；因為想看的書籍已被借出去，而感到失望；稍微大一點的孩子，因為其他孩子的妨礙而感到厭煩等等。

不過，這一切都會成為可以讓孩子養成好的閱讀習慣的體驗教育，而這也是讓孩子在圖書館閱讀的重要原因之一。

可以充分滿足孩子對知識的好奇心的圖書館

圖書館會提供孩子們無限的閱讀資料，除了當初想要去圖書館閱讀的書籍之外，也會注意他人閱讀的書籍種類，或是在書庫裡翻閱書籍的過程中，陷入偶然隨手抽取的書籍的內容中。

像我的孩子們就經常會在別的孩子看完要離開時，馬上跑過去對那位小朋友

說：「你看完了吧？那麼我要拿去看囉！」然後再把那本書拿過來看。

又或者有的時候會對其他小朋友說：「等你看完這本書告訴我一聲好嗎？」以這樣的方式來預約。可見他是多麼想看那本書！

我很想稱讚我的孩子們可以一直等待其他小朋友閱讀完，放下那本書為止的耐心，我也很愛可以刺激我小孩好奇心的那位小朋友。因為，圖書館是很多人在一起閱讀書籍的地方，所以很多現象都可能成為孩子學習的最佳動機。

孩子們偶爾對其他人閱讀的書籍產生好奇心，對身為父母的人而言，還有什麼比這個更值得欣慰的呢？

此外，圖書館是可以根據孩子的能力與興趣，選擇適合自己的書籍的地方。

我不認為有根據年齡閱讀的所謂勸導式閱讀，那不過就是根據孩子的興趣，有內容深淺不一的差別而已。

我看過很多孩子對於自己有興趣的書籍，就算內容再怎麼深奧，依然可以理解的情況。

以我們家老二來說，只要是有關恐龍的內容，他所看過的書籍以及所瞭解的程度，說是足以媲美一位博士也不為過。因為，他不是單純只看內容，他甚至洞悉恐

龍的習性，然後看到人或動物時，還可以做出最恰當的比喻。

例如：他看到一個喜歡發脾氣又愛亂喊叫的人時，就會說那個人像暴龍（Tyrannosaurus），如果看到某個人體型很大卻很溫和時，他就用腕龍（Brachiosaurus）來比喻。他更會清楚地告訴我，肉食動物的牙齒與爪牙較堅硬且銳利，而草食動物則是保護身體的器官比較發達等。

我很驚訝的發現，他可以把從書中所學習到的基本知識，恰當的運用在日常生活當中。

我想，如果我沒有去圖書館，只是在家裡看書，可能就無法給他看那麼多有關恐龍的書籍，而我孩子的好奇心應該也不會到達這麼深入的程度。

不但我的孩子們是如此，大部分喜歡動物的孩子，從最基本簡單的書籍，到較深奧有難度的書籍，都可以理解並吸收。不論是哪一個領域，適合孩子個人興趣，並能讓孩子發揮想像力，可以提供多樣化書籍的地方，就只有圖書館。

因此，為了滿足孩子無限的想像力及好奇心，必須要利用圖書館。

透過利用圖書館，學習人生智慧的孩子們

法國圖書館對於逾期歸還書籍的懲戒非常嚴苛，因為他們認定這是為了下一位使用者著想。

首先，要辦理一張圖書館借書證就很困難，一定要有房屋稅收據、各項稅款單據或三個月的電話費帳單收據等，才可以辦理借書證。

此外，如果不慎遺失借書證時，要負起引發一切相關損失的責任。如此一來，借書證就像身分證一樣重要。當租借的書未能準時交回去時，由於所有記錄都是電子化的，你將無法再辦理借書手續。

所以，市民們對於從圖書館借來的書就會格外珍惜，而且也非常遵守一切相關規則。

剛到巴黎時，由於未能租到房子，因此我過了一段飯店生活，有一次很不幸的我的背包整個被小偷給偷走了，而且那個背包裡還有我從學校借出的書籍。於是，我第一時間到警察局備案，然後帶著警察局所寫的遺失目錄表，到學校去向班導師

報告，並對老師說我會賠償那些我借出的書籍。

結果老師的表情非常為難。雖然我跟老師說，只要告訴我正確的書名和作者姓名，我一定會買新的還給圖書館，但是老師還是帶著我從校長室到圖書館管理員辦公室，一一拜見，並說明理由，而且還把在警局所做的筆錄一一影印，程序非常複雜麻煩。

當時，表面上，我雖然向每一位負責人員道歉，不過內心還是有些不理解：「我都已經說要買新的歸還了，何必還要這麼麻煩呢？」

後來，我翻遍了我所知道的巴黎二手書店，尋找那幾本書，但是都未能找到一模一樣的書，因此賠償了原價的好幾倍價錢，而且還寫了報告書後，才把那件事解決了。

法國人對於書的愛護真的是與眾不同，公共圖書館裡的藏書中，很多都是出版超過了五、六十年的書籍，卻依然保存良好。

甚至在Bibliothque Franois Mitterrand圖書館裡，如果申請閱覽一百年、兩百年前的書籍時，圖書館員就會把書放在紅色毯子上拿出來，而且閱讀的人不可徒手翻閱，一定要戴上白手套，並且要在圖書館員面前閱讀。此外，為了防止書籍毀

損，翻閱時不可以超過四十五度，還要固定好後，才能閱讀。

如此情況，讓我突然想到，想要從那裡取回我國的外奎章閣，是比登天還要困難的事，因為，對於自己國家的一般書籍，他們都已經是如此講究，更何況是他國國寶級的書籍，那一定是有過之而無不及吧！

我個人認為，圖書館逾期還書的懲罰，也很適用於孩子教育方面。

我們家所有規定當中，也有關於「超過」的規定，例如：孩子們在家裡看豆尼巴士卡通，一天不可以超過兩集，如果孩子們沒能遵守規定，看了三集時，那麼第二天就只能看一集，這樣的規定，就算不是在家裡，也持續維持。這樣下來，也發生過一些好笑的事。

我們家老二時煥如果從幼稚園提早回來時，會和伴讀老師一起在圖書館看書，或是與阿公一起到阿媽家去。結果有一天，阿公為了接時煥，來到我們家，正在看電視的時煥就對阿公說：「阿公，您選一個自己想看的節目吧。」然後就把電視遙控器拿給阿公，結果阿公隨手轉到體育台去看體育節目後，就帶著時煥回到自己家去了。

到了阿公家後，時煥就站到電視機前面，望著阿公說：「阿公，剛才因為您是

以客人的身分到我家，所以我把我看豆尼巴士的機會讓給了您，因此我只看了一集。現在我來到阿公家我就是客人，阿公為什麼不把轉台權讓給我呢？我還有一集可以看吶！」

看到時煥如此明確的表達自己的意思後，阿公笑笑說：「真是個大膽的傢伙，好吧，看一集你想看的節目吧！」然後就把電視遙控器遞給了他。

也許很多人認為這沒什麼大不了的，但是我卻認為孩子有這樣的想法，就是透過圖書館教育所學習到的社會性。

與圖書館的約定也等於是與所有市民約定，因此一定要遵守。當然，有時也會因為某些規定，而產生負面影響，此時，我們應該要提出適當的建議，情況就會有所改進。

每天固定一個時間去拜訪圖書館，並在規定的時間內使用圖書館，珍惜有關圖書方面的一切規則，而且提醒孩子們一定要遵守，也許剛開始可能有點辛苦和不便，不過，孩子們很快就會瞭解圖書館的規則並加以遵守。

試問，還有比這個更好的社會教育嗎？

讓孩子成為搜尋資訊的強者

利用圖書館的最大優點，是可以活用很多資訊。現今已是資訊化的社會，這一點是眾所周知的事實。根據最近的統計，過去資訊增加為兩倍所花費的時間是三十多年，現在的速度則逐漸變快，若以目前的趨勢來說，至二〇二五年時，只需要七十三天的時間，資訊就可以增加為兩倍。

要在這樣如湧泉般不斷大量流出的資訊情報中，找到自己需要的，並將它完全吸收，並不是件容易的事。那麼，我們又該如何找尋資訊呢？

欲尋找保管在圖書館裡的書籍，可以利用電腦在搜尋處打上書名或作者名來搜尋；在開架式圖書館則是看分類表，並在所屬位置直接確認內容來尋找。

利用圖書館裡的電腦搜尋，需要正確的關鍵字，找尋特定的書時非常有效，若搜尋的關鍵字不明確，或不知道內容或相關的關鍵字時，需要透過圖書館的分類表，此時最好直接到書店確認內容，然後再來搜尋，才能減少誤差。

此外，如果是要搜尋第一次接觸的主題，或雖然知道主題，不過並不是出現在

書名或關鍵字的那種隱藏的資訊情報時，一定要確認內容再來尋找。

為了正確的找到更仔細的資訊，必須在圖書館的書架中親自尋找，因此，必須要瞭解圖書館資訊分類的基本原理。

為了要正確瞭解圖書館的分類，首先要先瞭解圖書館。

圖書館有著兩千五百年以上的歷史，是知識的儲存場所，其目標不僅限於儲存，也包括傳播。中世紀時，較著重儲存；十八世紀中期，大英博物館將圖書館開放給一般民眾後，開始著重傳播。

若想要把圖書館裡擁有的知識，傳播給一般社會大眾，首要的就是須具備有效率的整理方法。如此一來，就算是一個沒有基礎知識的人，也可以容易的找到自己需要的資訊情報。

圖書館的整理原理，不單單是韓國，世界大部分的國家都是使用「杜威十進分類法」，雖然也有「國際十進分類法」、「議會圖書分類法」等，不過，所有分類的共同點便是——都是根據主題來排列的。

以主題別整理，是根據十九世紀詩人拜倫（Byron）的作品「薩丹納帕路斯（Sardanapalus）」裡的主角，非常著名的古亞述（Assyria）王國的亞述巴尼拔（

Ashurbanipal）國王，所制訂之大圖書館資料室的主題，進而成為普遍化的整理法。

這裡主題別的整理方法，能有體系的分類資料，不僅如此，同時也是種顧慮到使用者便利的分類法。

「杜威十進分類法」是除了綜合類之外，由九個主題，根據九個特殊的實用性所分類而成。根據主題的十進分類法是世界共同使用的方法，因此只要能瞭解分類體系，就算到世界任何一個地區的圖書館，都可以很容易的找到自己想要的資料。

杜威十進分類法分類應用：總類是000、哲學100、宗教200、社會科學300、語言學400、自然科學500、技術科學600、藝術700、文學800、歷史是900。

所以，與孩子一起去圖書館時，保留一段可以針對書籍排列的順序和孩子討論的時刻，不要一味的逼孩子毫無選擇地多看書，而是應該慢慢告訴孩子圖書館的構造是如何、為什麼會有這樣的構造、哪些書籍是為什麼樣的目的、或以一定的規則方式排列等。然後再告訴孩子們在圖書館書籍排列中，可以看到這個世界的事實，我相信沒有比這個更優秀的子女教育方式。

像這樣依主題來進行各種分類時，要正確無誤的找尋資訊，首先要瞭解其主

題。因為孩子們一開始不會自己依主題尋找自己想要的資料，所以是需要訓練的。最好是在去圖書館之前先利用電腦搜尋，確認要找的書是屬於哪一類型的後，以適合的關鍵字找出自己想找的書後，再到圖書館去找會更容易。

經常使用圖書館蒐集資訊的孩子們，都會具備不論對哪一個對象或是內容，都可以在最短的時間內找出最正確的主題的能力。而這不是用教導的，而是長期使用圖書館就會自然而然形成的一種習慣。

例如，對「洞」感到疑問與好奇時，在搜尋之處打上「洞」字後檢視，就可以看到與「洞」有關連的傳說童話、創作童話、科學童話等，非常多種類的書名。進行這種找尋分類的作業多次的孩子們，將可以有效率地利用龐大的圖書館資料與訊息情報。

我認為，透過圖書館讓孩子們可以學習到的許多知識中，這可以說是最大的收穫。

當我們到圖書館網站的首頁查詢書籍時，如果設定為「單一搜尋」時，只會搜尋到屬於圖書館的資料而已，若用「綜合搜尋」時，同時可以搜尋出周圍其他區域圖書館裡的資料。

如此一來，不只是自家附近的圖書館資料，甚至還可以獲得其他圖書館裡的資料，以這樣的方式使用圖書館時，就可以在最短的時間內獲得最多的資訊情報。

圖書館裡的無數資料，愈是經常出入圖書館，就愈會感受到其便利性，並且能更正確的使用。

我們家的孩子甚至已經達到可以知道，哪個書架上擺著哪本書籍的程度了。因此，只要對某個事或物感到好奇，或是需要資訊情報時，他們常常都事先知道如何找尋。對於我們家的孩子而言，圖書館就像是一座已經進入腦海裡的龐大知識倉庫。

相信任何一位卓越的家教老師或補習班老師，都沒有辦法把這麼多的資訊情報灌輸到孩子的腦海裡，所以，我認為圖書館裡無數的書籍與資訊，可以充分代替私人教育，因此，至今我依然常帶孩子們到圖書館去。

第 2 章

如何利用圖書館

如果計畫要和孩子一起到圖書館去時，最好前一天先做好準備後再出發。如此一來，就可以節省很多時間，不但可以在短時間內獲取很多的資訊情報，孩子們也會更加期待到圖書館的時間。

如何利用圖書館

去圖書館之前，先列出要閱讀的書籍

李御寧教授的「通過入會儀式（Initiation）」，是影響我生活最鉅的一個單字，因為人類在每一個階段之間，都會舉行一個儀式後，才會再進行下一個階段，因此，要事先有心理準備，才能適應新環境，也可以獲取更多知識。

而且，不僅入學前必須如此做，就算只是到附近郊遊，要準備的東西也是很多。可是，唯有去圖書館的時候，可以不需要做任何準備，然後拿一本當天看到的書來閱讀，進而借閱。

但是，可以把圖書館教育的效果提到最高的方法，就是在去圖書館之前，先做

好準備。如果是一個從幼兒時期就已經養成事前準備習慣的孩子，到了學校之後，也可以自然而然的接受叫做「預習」的這個單字。

首先，我們去圖書館之前，在家裡利用網路先查詢離家最近的圖書館在哪裡，然後再進入圖書館首頁，搜尋自己想要看的書籍，此時，根據孩子的反應，很快就能瞭解到孩子對哪方面的書有好奇心。

當孩子無法決定想要看什麼書時，先問孩子關心的主題後，並把那個主題輸入、搜尋，就會出現一些符合那些主題的書籍，先依書名一個個看下去，如果看到有趣的書名時，可以用滑鼠點選，就會出現該書詳細的資訊情報。

接著，與孩子一起記下書名，並把書庫的位置記錄在圖書館筆記簿上後，對孩子說：「我們明天一起到圖書館去看吧！」如此一來，孩子就有「明天到圖書館看某種書籍」的心理準備了。

這種做法不但可以節省時間，同時可以在短時間內取得更多的資訊情報，而孩子也會帶著一顆期待的心情，等待去圖書館的那一刻。

另外，要順便查詢圖書館的開館時間、閉館時間，以及休館日等，就可以免除白跑一趟的苦事，因為若好不容易準備妥當後去了圖書館，結果發現那天剛好是圖

書館休館日時，孩子可能會對圖書館留下不好的印象。

準備圖書館專用包

準備一個圖書館專用包。

幼稚園書包、學校書包、鋼琴書包等，孩子們不論到哪裡都要帶一個書包。既然圖書館也是一個教育機構，為孩子準備一個專用的圖書館包，是理所當然的事。

我們家每個人都有屬於自己的圖書館包，因此不需要我另外對他們說，孩子們只要看到我拿起圖書館包，就會問我：「媽媽，今天我們要去圖書館嗎？」

有沒有圖書館包，其實差異非常大，就好比去學校的時候，空手去的孩子和手上拿著書包去的孩子，讀書的態度就是不一樣；這和進入會議室時，空手進去的人和手中拿著道具或各種資料的人，在會議中所得到的回應差異很大，是相同的原理。

利用一個單純為孩子準備圖書館專用包的動作，讓孩子瞭解到圖書館是快樂的

教育場合，也可以稱為是圖書館學校。

包包最好是準備一個容量較大的，因為孩子們偶爾可能會不小心弄髒褲子，我的老二時煥就是如此，雖然已經會自己如廁，不過有幾次因為沉醉在媽媽唸給他聽的故事劇情裡，導致忘記上廁所，結果弄髒了褲子。

第一次因為我沒有為他準備多餘的褲子，只好脫下他的褲子，然後用上衣遮蓋重要部位後帶他回家去，因此，我建議媽媽們要準備一個可以放一套替換衣服的大容量包。

圖書館包的最前面，永遠要放著貼有孩子照片的圖書館借書證。而且，家族每個人都可以辦一張來使用，一個人最多借閱五本書，期限為兩週，如此一來，全家人都可以依自己的興趣與需求，隨心所欲的借閱。

年紀愈小的孩子對長得像卡片的借書證愈關心，我的孩子也一樣，只要是長得像卡片的東西，他們全部都會搜集，甚至包括我的名片，可見他們對於卡片的執著程度，所以，貼著自己照片的卡片他們當然更喜歡了。

用長得像卡片並貼有自己照片的借書證來借書時，可以看出孩子的臉上那種無限滿足的表情。

當借書證準備好了之後，接下來依順序把圖書館筆記簿、彩色筆等一一放進圖書館包裡，而孩子使用的彩色筆，因為是讓孩子可以盡情表達的輔助道具，所以最好是選擇較方便使用的工具。

在圖書館包裡準備彩色紙和膠水也很好，偶爾心情不好的時候，孩子們會認為畫畫很困難，此時利用色紙和膠水，把對於書的感覺利用撕色紙或摺疊色紙等方式來表達，然後再把它貼在圖書館筆記簿上，可以帶給孩子另一種不同的喜悅。

圖書館筆記簿裡，不是單純只記錄對於書的感覺，也可能是記錄在圖書館發生的事，而將這樣的記錄匯集在一起後，就可以做成一部「生動的孩子成長史」。

準備飲水和簡單的點心

孩子們的活動必需品——點心，在去圖書館時也很重要，因為在圖書館看書是一種非常消耗熱量的事。因此，可以帶給孩子補充營養而且可以帶來吃的喜悅的點心，是不可或缺的。

不過，點心最好在家裡先準備，可以做一些孩子平常在家裡不太想吃的，例如蔬果類，並且用白開水替代飲料，因為兒童室裡除了水之外，不可以帶任何飲料或食物。

水非常重要，閱讀書籍的媽媽和看到書籍後會講很多話的孩子，都要隨時喝水，因此最好是帶充分一點。

一般說到點心，大家都會想到餅乾或麵包，所以媽媽們準備點心時，通常都會買很多種餅乾，不過，餅乾是一種對孩子健康不好的零食。

我們到圖書館休息室時可以發現，孩子們通常都是在吃餅乾、喝飲料，學生們則大部分是在吃泡麵，我認為這樣的點心文化應該要改善，姑且先不提這些食物本身是有害性食品，其實這也會妨礙閱讀。

為了閱讀，孩子們應該要靜下心來慢慢整理思緒，但是那些飲料和餅乾裡所含有的調味料、色素、咖啡因等，不斷的刺激孩子的大腦，讓孩子們產生不安感，且容易興奮，一刻都無法安靜。因此，去圖書館的時候，盡量不要給孩子吃泡麵、餅乾，以及飲料。

我經常自問，為什麼圖書館裡一定要有餐廳或是商店呢？如果可以在休息室自

在的吃著自己準備的食物，偶爾還可以和他人談笑，是不是會更好呢？

我認為與其在圖書館解決一切的「One-Stop」方式，還不如適當利用圖書館周邊設備會比較好。

這是我在法國時候的事。珍兒的學校舉辦戶外教學，所以我就像在韓國的時候一樣，為她準備了壽司和飲料。在送孩子進學校時，我發現珍兒的包包格外明顯，因為裝了一堆食物，所以包包一定會變大，導致背在肩上看起來格外沉重。

後來我才知道，當孩子要參加戶外教學時，法國的媽媽們會為孩子準備一種塑膠容器盒，裡面裝一些切得像手指頭一樣大的黃瓜棒、胡蘿蔔棒，以及花椰菜等蔬菜，再加一顆蘋果和白開水。而且，書包裡還放有事先查好的參觀地點的相關資料筆記。

在那之前，我一直認為戶外教學或參觀不過是出去玩而已，把點心也想成是零食。不過，法國的媽媽們甚至把點心也當成教育的延伸，並細心的做準備。

實際上，法國媽媽們就算帶孩子到家附近的公園去的時候，也是以這種方式準備點心，因為平常在家裡不想吃的蔬菜，到了外面，孩子們就不會拒絕吃。

最重要的是，去圖書館的時候，要考慮到孩子的精神活動，所以準備含有豐富

維他命的點心是最佳選擇。

新鮮的維他命可以活躍孩子的腦部，不但可以讓孩子的頭腦清晰，也可以安撫孩子的情緒，因此對閱讀有很大的幫助。

當在圖書館包裡準備好借書證、圖書館筆記簿、彩色筆、色紙、膠水、點心、想要看的書籍目錄等之後，把包包放在玄關處，並為了第二天的活動，讓孩子早點就寢。如此一來，也許孩子為了隔天與媽媽一起去圖書館，會在夢裡做另一種的準備。

養成進入圖書館前、離開圖書館時一定要洗手的習慣

每次我和孩子們一起進到圖書館後，第一站就是先去洗手間，先要孩子們如廁，然後洗手。

當我說去圖書館之後第一件事，就是讓孩子洗手時，很多人都感到很訝異，因為大多數人都是直接從家裡去圖書館的，這之間並沒有做一些會讓手變髒的事，何

必一定要再洗一次手呢？

不過，我就像舉行宗教儀式一般，認為洗手可以讓我們想很多事情。圖書館是神聖的場所、是智慧的殿堂，也是引導我們到想像世界的地方，它能把我無法直接告訴孩子們的種種事情，詳細地告訴他們。而孩子們等於是透過圖書館，重新誕生在一個陌生且充滿好奇心的新世界。因此，對我而言，洗好手可以用淨潔的心境面對一個嶄新的世界。

吃飯之前，我們都會先洗手刷牙，雖然是為了衛生，但更重要的是為了「專注於吃」。如果前面擺著必需要用手抓著吃的美食時，不清潔的手是最大的障礙。其實書和食物是一樣的，只是它不進入嘴巴，而是進入腦海裡，這樣看來，閱讀之前洗手是非常正常的事。洗好手後再看書，可以讓我們變得更加專注。

我的孩子們在家裡看書之前，也是要先洗手，因為孩子在洗手的過程中，會為閱讀先做好心理準備，這可以讓孩子有強烈的集中力面對閱讀。

洗手的另一個原因是為他人設想，因為圖書館裡的書籍不是專屬於某一個人的，如果用骯髒的手去翻閱書籍，就會沾染很多細菌，這可能會對其他孩子們有害。我經常把這些話告訴孩子們，每次去圖書館的時候，我也都會讓孩子們先去洗

手後，再進行下一步動作。

在閱讀書籍之前，先要教導孩子圖書館的禮節

圖書館是公共場所，有很多人共同使用，如果抱持著只有我一個人這樣做應該沒關係的想法，將會帶給許多人不便。

我們上網或線上交換資料情報時，也有所謂的「禮節」，何況是在許多人一起使用的圖書館，更要講究「禮節」。

雖然孩子可能無法完全遵守圖書館的禮節，不過，家長應該不斷提醒叮嚀孩子有關圖書館禮節方面的事。

此外，因為他人不遵守禮節，導致自己的不便時，也要馬上利用機會教育孩子，相信孩子很快就會瞭解。

有一次，四歲的時煥興致勃勃的開啟幼兒室的門進去，結果發現裡面已經有很多其他小朋友和媽媽們，因此幼兒室裡一位難求。左右張望了很久的時煥，突然一

步步走到一位媽媽的面前，說：「阿姨，圖書館裡的桌子是一人使用一張，不可以使用兩張桌子，所以這一張我可以用吧？」

當場，那位阿姨尷尬不已，趕緊把桌子讓出來，並對時煥說：「對不起。」

有時，時煥也會對那些不懂圖書館禮儀，大聲喧嚷的小朋友說：「這裡是圖書館，應該要保持安靜。」

看著時煥像個小大人，這般瞭解什麼是公共道德，讓我感到非常驕傲。

由此可見，圖書館是可以給孩子社會教育的最佳場所，偶爾發現書籍有被撕毀或被摺壞的頁面時，我就會告訴時煥說：「時煥，你很想知道是什麼內容對不對？其實媽媽也很想知道，如果把你的手臂這樣摺起來，一定會很痛吧？所以我們不要這樣摺書，乾乾淨淨看好不好？」這麼一說，孩子馬上就會知道我的意思了。

當然，因為是小孩子，所以不可能只告訴他一次，他就會這麼做，不過每次發現的時候，都為孩子說明理由，同時教導他圖書館禮儀，相信任何一個孩子都會毫無困難的學習到圖書館禮節。

不久之前，我在報紙上看到一則新聞，在美國某一州的圖書館裡，如果使用手機，最高可處一千美元的罰款。這是一條三振出局制度式的條款，第一次是罰兩

百五十美元，第二次是五百美元，第三次是罰一千美元，而且會被人從圖書館裡趕出去，從此不得再進入。

看了那則新聞之後，我有一種那裡真是個好地方的感覺，因為在圖書館隨心所欲的使用手機所造成的噪音，實在非常刺耳；而孩子們的腳步聲、笑聲、讀書聲中含有希望，所以並不會讓人感到不悅耳。可以通過這種法規，足以證明該地區對圖書館有著正確的認知，所以那裡的人應該能比我們更方便、舒適的使用圖書館才是。

在圖書館裡一定要遵守的十項禮節及道德

圖書館是可以給孩子社會教育的最佳場所。因此，「圖書館禮節」不只協助小孩，甚至包括大人，讓我們可以在這個社會中遵守權利與義務，成為名副其實的民主市民。

一、圖書館裡應保持安靜。

二、要珍惜一切圖書館的資源。

三、圖書館是全家人都可以享有的特殊場所。
四、在圖書館裡使用手機應自制。
五、應遵守圖書館的開館與閉館時間。
六、應遵守借閱書籍的期限和數量。
七、應遵守逾期時的罰則。
八、利用圖書館的過程中有任何問題時，應積極向相關單位提出建議。
九、積極參與圖書館所舉辦之課程。
十、每月固定申請一本以上的薦購書籍。

讓孩子閱讀很多書籍固然重要，但是比這個更重要的，是教導孩子可以更為他人著想的圖書館禮節。

書桌前必須張貼圖書館每月計畫表

第一次到法國時，對我而言最困難的，是社區裡的公共圖書館每個星期日都不

對外開放這件事。

我不懂他們為什麼一定要選擇在星期日休館，以韓國來說，週末假日時使用圖書館的人反而會大量增加。而且，不只是週末假日，甚至放假期間，法國的公共圖書館也會休館好幾個星期。所以，如果打算利用放假期間到圖書館去完成之前未能完成的功課，那麼你就失算了。

漸漸習慣法國生活之後，我才知道當地的居民每天都到圖書館去閱讀書籍、參加課程，因此不需要連星期日都到圖書館去，星期日是休息的日子，應該要到附近的郊外或公園去接近大自然，所以圖書館才會休館。

而法國的居民們要去每年一次的夏日度假時，都會帶一大包的書籍去，所以，只要到度假的季節，所有的圖書館也會休息二到三週，因為很多人把書籍都借回去了，圖書館開館也沒有很大的作用。

不過，韓國很多父母親常把孩子的時間用學校、補習班、考卷等填滿，在不去補習班的星期六或星期日，才讓孩子到圖書館去，因此，韓國的圖書館一到週末假日，人潮就格外的多。

我個人是寧願週末假日休館，平常則根據週別，讓兒童室開放到晚上八、九

點，這樣的話，雙薪家庭的幼兒、放學後的國小高年級生，或國中生、高中生等，都可以有充足的時間好好善用圖書館。

使用圖書館一定要記清楚圖書館的休館日期，以及閉館時間，這樣才不會發生白跑一趟的情形。如果難得下定決心去了圖書館，結果發現當天圖書館沒有開放，一定會感到很失落。

任何一個圖書館都會把當月的活動和課程張貼在佈告欄上，我們可以把它簡單明瞭的記下來，並貼在書桌前，如此一來，不但可以避免白跑一趟，也可以藉此善用圖書館。

教導孩子一定要遵守圖書館的管理規則

圖書館裡的書籍、影片、資料等，都有一定的租借期限，雖然每間圖書館的規定不太一樣，不過以書籍來說，兩個星期是基本的借閱期限，並可以延長一個星期，此時應該要打電話給相關人員，告知你要延長的意願。

如果是全家一起使用圖書館時，就很容易發生逾期的情形。有時候是明知道卻沒有注意、有時候是不知道書在哪裡，因此會發生遺漏而沒有歸還的情形。公共圖書館的情況是如果有逾期時，就不得再借閱書籍，直到逾期的書籍歸還為止。而在私立的圖書館遇到逾期的情況，甚至還可能要罰款。

所有的規則都伴隨著遵守的義務，圖書館資源的租借亦是如此，當我參加圖書館義工教育，詢問每位義工碰到最大的問題是什麼時，答案幾乎千篇一律都是因為使用的人逾期歸還書籍，造成雙方的不愉快。

每當我看到因為逾期歸還書籍，而與圖書館員爭執到臉紅脖子粗的情況時，我心裡都會感到很無奈、很遺憾，且很想告訴他們：「圖書館不是單純租借書籍的出租店，圖書館裡還有很多的學習機會，為什麼大家都沒有發現呢？」

從小經常出入圖書館的孩子們，對於逾期的概念非常清楚。對大人而言，只要提到逾期，首先想到的是可怕的信用卡帳單遲繳或利息遲繳，不過，孩子們怕的卻是借閱的書籍逾期，偶爾因為逾期，而無法馬上借閱書籍時，孩子就會一臉不高興的問我：「媽媽，您不能替我借閱嗎？」

此時就是教育孩子的最佳機會，你可以告訴孩子：「有某個孩子正苦苦的等待

被前一位小孩先借閱的書籍，因為前一位小朋友的逾期未歸還，導致後面等待的小朋友沒辦法看到自己想看的書籍」，這時，大部分的孩子們都會自我反省。

當然，你也可以利用家族其他成員的借書證來幫孩子借閱書籍，但最好還是讓孩子忍耐到將逾期的書籍歸還，可以用自己的借書證借閱書籍時，而這段期間則讓孩子在圖書館裡看書即可。

偶爾自己想看的書還沒有看完，卻到了圖書館閉館的時間時，孩子會用一種「媽媽，您可以替我借這本書嗎？」的表情看著我，不過，我會對孩子說：「雖然依依不捨，但我們還是等明天再來看吧！」然後牽著孩子的手離開圖書館。此時，孩子不僅會感覺依依不捨，還會立下再也不要逾期歸還書籍的決心。

如果我每次依照孩子們的要求，用我的借書證替孩子借閱書籍的話，就絕對不會有如此的影響。因此，圖書館的規則的確具有教育效果。

離開圖書館之前，要徹底的收尾

在圖書館裡與書一起度過二到三小時的快樂時光後，在準備回家之前，同樣也

必需要守禮節，首先就是把看過的書籍依順序放回原來的位置。

如果是第一次來到圖書館的孩子，或尚未熟悉圖書館書籍排列法的小朋友，把書整齊的擺在桌子上反而比較好，因為沒有把書放在它原來的位置，而是放在其他地方時，下一位想要看這本書的人，為了找這本書，會感到非常困擾。

因此，在尚未熟悉圖書排列法之前，看完書籍後，最好是把書籍整齊的擺在書桌上，讓熟練的義工或圖書館員來整理，才比較不會造成他人的不便。

往返圖書館的路途，也是很好的學習場所

從圖書館裡出來，在回家的路上，我和孩子們會談論當天看的書籍裡面的精采內容，或是討論書中的主角。雖然有時孩子們只能說出幾個單字，但是他們卻非常享受和我邊走邊聊的這段時光。

有一次，他看了一本「奶奶趕走夜晚等待白天」的童話故事後，就以很不理解的口氣說：「如果月亮推一下太陽，白天就會來臨啊！」並一直納悶為什麼奶奶不

瞭解這樣的道理。雖然這樣的說法有些無厘頭，不過，我卻對他有如此突發的想法感到驚訝不已。

有時候，我們不會馬上回家，而是坐在圖書館旁的草地上，撿著漂亮的樹葉或是玩球，這時，孩子們會以與平常不同的角度，來面對曾經出現在他們看過的書籍中的事物。

自從去圖書館之後，孩子們也比以前更具有好奇心。

有一天，從圖書館回家的路上，時煥突然問我說：「媽媽，為什麼紅綠燈的紅色燈一定要在上面啊？」

我回答：「我也不是很清楚耶，我們回去問爸爸好了。」

對於看了幾十年的紅綠燈，卻從來都沒想過為什麼紅燈要在上面的我而言，孩子的問題讓我感到很有趣。

老實說，在時煥問我為什麼紅燈在上面之前，我甚至不知道是紅燈在上面，還是綠燈在上面，只是習慣性的看到綠燈就過馬路。但是，時煥從開始去圖書館之後，總是對這種細微的事抱著好奇心且不斷的問問題，並為了找尋答案而努力。

圖書館教育不僅是在圖書館裡，從圖書館出來之後也會延續，因為圖書館周圍

有說不盡的事情與故事。如果可以透過這無數的寶藏，讓我的孩子們對這個世界有更多的關心、更細心的觀察，我就心滿意足了。

不要忽略多媒體的運用

韓國的公共圖書館，除了兒童室之外，孩子們可以說幾乎沒有地方可以進去。一般的閱覽室，只有國中生以上的學生或大人才可以進去，資料室則是國小以上的學生才可以進去，定期刊物或論文室則只有大人才可以使用。

如果有監護人陪伴，在圖書館員的允許下，兒童們也可以進去視聽室和數位室，而這裡又是圖書館另一個寶庫。

一般數位室裡備有可以使用筆記型電腦的空間、使用網路的空間，以及視聽語言學習及影像的空間，只要事先預約，任何時候皆可以使用。

雖然每個圖書館所保存的DVD或錄影帶，多少有些差異，不過，通常我們可以在那裡看到一些市面上很難找到的教育用記錄片或電影。

如果小朋友對自然或科學有興趣，我衷心推薦父母親可以陪同孩子，一起到這裡觀賞DVD，例如：BBC的記錄片或國家地理頻道，不僅非常適合闔家觀賞，而且是必定要看的節目之一。

我們家的孩子也是如此，當我告訴他們在圖書館不只是看書而已，有時也可以看電影或是記錄片時，他們便把圖書館當成寶庫一般，非常開心。

此外，數位室不僅只給孩子使用，也是父母親一定要使用的地方。為了不被這個瞬息萬變的時代淘汰，身為父母的我們需要不斷的努力，而其中之一就是學習外語。在這裡使用學習語言的CD或錄音帶，就不需要另外撥出時間到補習班去學習。

也許是反映出這樣的現象，數位室裡備有英文、中文，以及日文等相關的語言CD或錄音帶等，其設備及內容不亞於一般的補習班。

此外，為了配合資訊化的時代，每週固定有電腦講座教育，而且還備有可以自己使用的個人CD，因此，只要有心學習，隨時都可以使用。

和孩子一起在視聽室和數位室裡，孩子們可以聽兒童專用語言教學帶，父母則看大人用語言教學帶，如此一來，父母和孩子就不需要各自到語言補習班去學習，

而且一切都是免費的。

從現在開始，父母和孩子們不要只待在有兒童室的那一樓，而是試著到圖書館的其他樓層去，因為沒什麼值得畏懼的。

善用圖書館的學習課程

觀察圖書館的各項課程，可以發現圖書館經營者的哲學。只要細心觀察有著哪些課程，很快就會知道該圖書館的個性。

目前韓國大大小小的兒童圖書館，是根據地區的特色提供多樣化的課程。此外，公共圖書館為兒童提供美術、國樂、魔術教室等多元化的課程，也非常歡迎區域居民們的熱烈參與。

圖書館裡的課程，並不只是針對兒童所舉辦，也有為主婦們舉辦的閱讀教室、口述童話班、閱讀指導的講座、語言學習班（日語、英語、中文）、書法、插花、紙黏土、編織工藝、珠飾，以及韓國畫、西洋畫、東洋畫、素描、繪畫、陶藝等美

術講座，還有歌曲教室、經絡按摩等，為主婦的閒暇生活與未來，安排多樣化的講座。

我們家族中圖書館課程最大的受惠人是珍兒，在法國已經習慣使用圖書館的珍兒，回國之後，同樣對圖書館的課程表非常有興趣。

剛開始申請圖書館課程的原因，是珍兒在學校的「快樂生活課」上要吹笛子，從來都沒吹過笛子的珍兒感到非常擔憂，所以我帶著她到了圖書館，很偶然的看到大門口佈告欄上的課程表有陶笛講座，我想同樣都是樂器，去參加應該也不錯，所以就報名了。

因為去法國之前短暫的學習過鋼琴後，再也沒有接受過音樂訓練，導致珍兒看樂譜不夠熟練，沒想到過了幾天之後，她竟然可以看樂譜吹陶笛，當第一期講座快要結束時，她甚至還可以熟練的演奏一整首的兒歌。

產生了興趣的珍兒，繼續上了半年以上的陶笛課程，當韓文也漸漸熟練後，又加入了閱讀教室課程。每個月閱讀兩本書籍，並與其他小朋友們一起編製、討論書籍，珍兒完全沉醉在閱讀的喜悅中。

有一次在學校的才藝表演會上，珍兒看到同班同學的魔術表演後，又想要學習

魔術，因此申請了圖書館的魔術講座，除此之外，她還參加過英語童話書閱讀班、漢字教室、兒童美術教室等多樣課程。

現在回想起來，我的孩子們透過圖書館學習了很多東西，也認識了很多事物，因為孩子們非常快樂的去圖書館，因此孩子們的爸爸也中斷了之前去的英語補習班課程，改到圖書館去參加語言學習講座，甚至他平常雖然有興趣但不敢嘗試的中文課程，也大膽的報名了。

在補習班學習的時候，我們通常不會選擇自己有興趣的語言，反而一定會選擇自己目前最需要的英文，但是因為參加圖書館的講座沒有任何負擔，所以自然而然會移轉到自己有興趣的部分去。

我先生是從最基礎的中文開始學習，現在已經有所進步，並具有信心，走在路上碰到中國人時，他雖然說得不是很流暢，不過卻可以達到毫無畏怯說幾句話的程度。

如果您有著平常雖然有興趣，但總是因為很多藉口，導致沒有機會接觸的領域，建議您馬上注意圖書館的課程。

韓國的圖書館不但定期提供多樣課程給居民學習，甚至還開闢了「網路學習講

座」，協助國小生與國中生的課業指導。

此外，也有為了幼兒提供的e-book，雖然目前社會上對電子書有不同的想法與評價，不過，當圖書館休館的週末假日，或天氣不好導致無法去圖書館的時候，我還是會利用電子圖書館。

圖書館裡所設置的e-book，內容非常多元化，不只是適合小朋友，甚至連大人們都可以使用。在兒童書籍方面，不但細分為英語童話、有趣的童話等多種類型，因此可以隨自己的興趣來選擇閱讀。

此外，某些圖書館為提升該地區居民們的英文實力，還提供免費TOEFL&TOEIC測驗。

圖書館裡有著超乎我們想像的各種多元化且高品質的課程，而且其種類也在不斷地增加當中，內容也更加優質，使用方面也變得更簡便了。因此，如果我們可以善用居家附近的圖書館，相信收穫絕對會超出您的想像。

第3章

圖書館書籍閱讀法

我們不能忘記透過聽力讓想像力發達，透過想像力讓創意力更加茁壯的過程。如果我們瞭解人類一切知性能力的基礎，皆是從聽力開始時，就會知道唸書給孩子聽是多麼重要的事。

圖書館書籍閱讀法

首先教導看書籍封面的方法

我記得曾經看過一則報導，一位大企業的面試官說，人的印象是決定在一開始的前五秒。

就如同對人的第一印象非常重要，對書籍的第一印象也很重要。書籍的第一印象就是封面，書的封面也是出版社最費盡心思的部分。

通常書籍的封面一定會出現三種要素，首先是書名，第二是作者名與繪者名，第三是出版社名稱。

這三種要素裡，書名是最值得研究的部分。相信沒有一個出版社對書名不費心

的，就像新聞與報紙最重要的部分就是標題一般，對於書籍而言，書名最為重要。

第一次給孩子看書的時候，連說明書名都感到非常困難，因此就把書名比喻為名字，作者則用媽媽或爸爸來稱呼，出版社則是來自哪一家等，為孩子們說明。

也就是告訴孩子們，書也像每一個孩子一樣，都有名字、父母和家。而且還告訴孩子們，就和每個小孩一樣，書籍也有它的所屬之處，所以是很珍貴的。

接受這樣教育的孩子們，就算長大之後面對深奧難懂的專業叢書，只要看到書名和目錄，就大概知道書的內容。

書名最能表達出作者的心意，而且書名是將內容壓縮後呈現，因此非常容易琅琅上口，尤其兒童叢書更是如此。

孩子們把書名唸出來的過程中，就能明白字的節拍，例如：「炸醬麵、炒麵、糖醋肉」、「狗狗便便」、「是誰嗯嗯在我頭上」、「我絕對不吃番茄」等，如此可以琅琅上口且有趣的書名，孩子們可以直接運用在日常生活當中——

到洗手間便便之後，就會便說○○○屎、○○○屎等一些相似的詞句，或是說「是誰○○在我○○上」；看到自己不喜歡吃的食物時，就會說「我絕對不吃○○」等。

兒童叢書還有另一個不可或缺的要素，就是圖畫，因為圖畫可以最直接地傳達那本書的內容，因此不僅是出版社，連作者也最重視這個部分。

我本人專修美術史，因此我也是非常注意圖畫。書裡的圖畫當中，最明確的呈現美術與文學之間的關係的，就是插畫，只要看插畫，就會大概知道接下來的劇情是什麼。

我與孩子一起看書封面的圖畫時，通常都會編出一堆的故事。雖然只是一個畫面，不過如果編出故事，就會無限延續下去。

例如：看到烏龜和兔子在一起的圖，我就會編出一個故事說：「他們真相親相愛，本來昨天在吵架，結果因為今天兔子先向烏龜道歉，所以他們又和好了。」如此一來，時煥就會跟著把自己之前類似的經驗，全部說出來。

偶爾孩子們也會指出封面上的動物，與內容裡的動物不一樣，每當那個時候，我內心就希望出版社能夠再細心一點。

圖書館裡的書籍的封面與一般的書不同，我第一次帶我們家小朋友到圖書館的時候，我問孩子圖書館裡的書和家裡的書有哪裡不太一樣時，我記得孩子回答我說：有條碼和沒有條碼的差別，以及有編號與沒有編號的差別。

通常大人們不太注意的部分，小孩子都會很仔細的觀察，因此，一定要事先告訴孩子是否有條碼及編號。

此外，也要告訴孩子們有條碼，是為了區分是否可以借閱，以及預防遺失；同時，也要說明書上有編號，是為了協助我們更容易找到自己想看的書籍。

當告訴孩子們這一切時，孩子們就會知道只要有書名、作者名，以及編號，就可以在圖書館找到自己想看的書。

有一點讓我較遺憾的是，韓國公共圖書館幼兒室裡的書籍，封面並不明顯。而法國公共圖書館幼兒室裡的書籍，都是把封面設計的很明顯，讓孩子們看到封面後，就很容易辨識。

相信這是因為法國人很瞭解封面的重要性，並為讀者設想所做出的安排。看封面來選擇書籍，可以減少書籍破損的機率，我希望韓國的圖書館也可以參考這項優點。

重點不在如何學習語文，而在理解力與表現力方面

關於語文教育的時機，目前依然有很多爭論，看電視的時後，有時也會看到剛滿一歲的孩子在看報紙的新聞，或某公司的廣告是幼小的孩子在閱讀書籍等，因此，有很多父母親們都期望自己的孩子可以早一點識字。

在養育孩子的過程中發現，大約過了一周歲後，一些媽媽會唸書給他聽的孩子們，甚至會吵著要媽媽唸整晚。此時，很多媽媽們，包括我，都會擔心孩子不好好睡覺，會影響發育，因此會強迫孩子們趕快睡覺。

不過，後來我發現，其實孩子會要求媽媽唸整晚的時期非常短暫，因此，在養育老二的時候，就算我有點疲倦，但只要孩子要求我唸書給他聽時，我都會唸到他入睡為止。

雖然我唸書給時煥聽的時機比一般孩子來的晚，但也許是因為短時間內集中精神唸給他聽的緣故，時煥成為一個非常喜歡書的孩子。

我是在時煥快滿三歲的時候，開始唸書給他聽。

剛開始唸書給他聽的時候，他還是一個喜歡玩耍勝於聽書的孩子。我想，那是因為孩子在八個月大的時候，我出國留學，讓奶奶帶著他到處去玩，所以才會有這種現象。

回國之後，我就把孩子帶在身旁，甚至不分白晝或黑夜，在圖書館或家裡，開始不斷唸書給孩子聽。

值得慶幸的是，當時孩子是第一次接觸書籍，且又沒有接受其他學習，因此孩子的吸收力又快又好。

每天，我固定在圖書館唸兩個小時書給他聽，然後再一起談話，不久後，以前只會講兩個音節字的孩子，已經可以使用較長的單字說話。例如：

「媽媽，我口渴，請給我水。」

「我要蓋著有美麗圖畫的被子睡覺。」

為孩子唸書到一段時間後，孩子們也會想要自己看書，而這段時間如果有人想要為他唸書時，孩子就會說：「我來唸。」然後會把書奪走，而這不過是短短一年之間產生的變化。

此時，雖然孩子可以自己閱讀書籍，但是與孩子如此親近的時刻，相對地也縮短了。

到了孩子可以自己看書的時候，也意味著有很多事情孩子可以自己做了。

換句話說，孩子會變得比較獨立。如果父母親唸了很多書給孩子聽，那個孩子

就會愈早獨立，這也是透過閱讀所獲得的另一個禮物。

不過，很多媽媽們喜歡把閱讀書籍和語文教育連接在一起，因此，在唸書給孩子聽時，就急著想要教導孩子識字。但是，把唸書給孩子聽和識字教育連在一起，並不見得是好事。

媽媽們不需要強迫孩子識字，因為，當孩子對識字有興趣，想要自己閱讀書籍的那一剎那，就是教導孩子識字的最佳時機。

如果從給孩子閱讀童話書那一剎那間起，就執著於教他識字，很容易就會失去一些珍貴的東西，因為，童話書裡不單單只有文字而已，還有很多豐富的圖畫、顏色和形狀；讓孩子對圖畫、顏色與形狀產生興趣，孩子就會擁有豐富的感性，進而也會提升孩子的知性能力。

唸書給孩子聽或讓孩子閱讀時，如果只注重識字方面，孩子除了識字之外，就無法去注意其他事物。此時，也許孩子很快就學習到文字，不過，在色彩、均衡感、方向感、空間感等方面，就會變得非常遲鈍。

以上這些情況，在檢視孩子的圖書館筆記簿時，很快就能發現。

在不識字的情況下，聽媽媽唸故事，並將那個故事內容以圖畫來表達時，其色

彩會非常豐富，想像力也非常優越。識字之後，孩子在色彩感方面會變得比較差。

在孩子想像力爆發的三到六歲時期，如果可以順其自然的進行閱讀，孩子們就會開始識字。

而且同樣一本書閱讀很多次，並重複的看他喜歡的內容，便可以從認識單字開始，在不知不覺中，甚至連文章都可以學會。

有很多次，我唸書給孩子們聽，如果孩子們看到自己認識的單字或助詞時，就會用手去指，如果父母認為這就是讓孩子識字的時機，然後把注音符號等排列出來，教導孩子識字，孩子的閱讀力及理解力會就此打住，再也無法更進一步。

我們要切記，文字是要透過書籍來瞭解、並在文章中一個個去認識，如此才能學習到可以活用的文字。

從抱在膝蓋上的教導開始做起

媽媽的膝蓋對於想要睡覺的孩子來說，是舒適的床鋪；對於孩子的未來而言，

這裡更可擔任學校的角色，所以，媽媽的膝蓋又稱為膝蓋學校。

我個人認為，媽媽的膝蓋是可以決定孩子未來的地方，因為，孩子對媽媽的心跳聲非常敏感，相信養育過孩子的媽媽們，都應該非常明白，所以，我每次唸書給孩子聽的時候，都會讓孩子坐在我的膝蓋上。

當孩子的呼吸聲傳進我耳裡的那一剎那，我感到無比的幸福。也許孩子也喜歡和我有這種親密的接觸，因此每天都會吵著要我唸書給他聽。

不僅如此，在圖書館裡閱讀書籍的時候，膝蓋學校會帶來更大的效果。因為在圖書館裡唸書給孩子聽，經常會遭到周圍其他人不友善的眼神，甚至有時候還會有人突然走過來對我說：「如果想要唸出聲音給孩子聽，那麼請回家後再唸吧！」

如果把孩子抱在膝蓋上，為孩子閱讀書籍，就不需要大聲的唸出，而且孩子、媽媽及書本成為一直線，還可以達到阻擋聲音的效果，所以，我再也沒有接獲他人不友善的眼神，反而感覺到我在被書包圍的空間中，與孩子一起感受到某種說不出的喜悅。

而且，以這樣的姿勢，孩子們會更加集中精神，因為閱讀書籍就在眼前，耳邊

則是聽到媽媽閱讀的聲音，在這樣的情況下與孩子聊天，一、兩個小時很快就會過去，而這段時間，孩子可以在媽媽的膝蓋上，充分感受到愛、溫馨以及想像世界。

在西方國家，幼兒室是在地板上擺著軟軟的沙發，或是寬厚的坐墊，讓父母可以舒舒服服的坐著，為孩子閱讀書籍，我相信這是他們瞭解膝蓋學校的重要性，所做的安排。

以前韓國公共圖書館兒童室的設備，是很難可以讓我把孩子抱在膝蓋上，為孩子閱讀書籍的，而且很多圖書館的兒童室與幼兒室並沒有分開來。

但最近，韓國公共圖書館的兒童室重建之後，不但另外安排幼兒室，設備也較利於膝蓋學校的運作，這確實是個非常好的轉變。

製作圖書館筆記

成功的人的共同點，就是可以抓住當時的想法，因此，他們都有著記錄的習慣。天才也許筆跡不是很漂亮，不過在記錄方面絕不會輸給任何人。

舉例來說，里奧納多・達文西就是以自己看得懂的方式，把很多事情密密麻麻的寫在記事簿上，後人才可以根據那些筆記簿，把達文西納入天才的行列。

大部分的父母親在孩子出生前，就已經對自己即將成為父母的事感到恐慌，而且也會擔心到底要如何養育孩子，結果就會看很多書籍，或是從懷孕起，就著手寫胎教日記等，盡自己一切的努力。

不過，當孩子滿一周歲之後，大部分父母親的熱情已逐漸降溫，然後將一切用方便的照片來記錄。

但是，真正重要的時期，是從孩子會講話開始。

這時，孩子會對父母唸給他聽的書籍感到好奇，父母就可以將孩子所提出的問題和想法，記錄在筆記簿裡。

而到了孩子自己會閱讀之後，他會專注於書籍的內容，這時，父母可以幫助孩子，讓孩子利用很多形容詞，自己把一些事情記錄在筆記簿裡。

這種內容一個個聚集在一起之後，就會成為一本非常優秀的幼兒閱讀日記，這也就是所謂「圖書館筆記簿」的開始。

因此，「圖書館筆記簿」就等於是孩子們的「思考相簿」。

從小開始細心的幫孩子做記錄，待孩子成長之後，可以自行寫字時，把這本筆記簿拿給孩子，孩子們就會自己主動編製「圖書館筆記簿」了。

雖然剛開始做記錄會有點辛苦，但父母絕對不要認為記錄是件厭煩的事。要讓孩子成為一個善於記錄的孩子的最佳捷徑，就是讓他親眼看到要如何做記錄。

「圖書館筆記簿」的樣式沒有什麼特別的，只要記錄日期、圖書館名稱、書名、作者、繪者、出版社後，再把孩子的反應簡單的標示在喜好度欄裡即可。

在書名的下方，父母可以簡單的記錄孩子第一次看該本書時所問的問題，或孩子感到疑問之處，並標示該本書是孩子自行選擇的書籍，還是由媽媽選擇的，如此一來，這就會成為一份非常優秀的資料。

孩子的每一個提問累積後，會形成孩子的思考，因此就算是無厘頭的問題也不要漏失，最好是把任何問題都記錄詳細。

記得有一次，我為時煥唸了一本叫做「置物架」（註：是一種韓國人使用的傳統工具。長得像椅子，但是可揹在背上搬運用的一種器具）的書籍，結果他說：「哦，長得和椅子很像耶！」

我就把那句話記錄在「圖書館筆記簿」裡，幾天之後，又看另外一本有關置物

架的書，突然想到那個記錄，我就問時煥：

「置物架和椅子哪裡相似呢？」

「雖然形狀有點相似，可是又有點不太一樣。」

「哪裡不一樣？」

「置物架上面坐的是貨物，椅子上面坐的是人啊！」

「那，我們模仿一下置物架的樣子吧！」

這樣說之後，我站起來用身體模仿置物架的樣子，結果孩子很快就瞭解置物架的樣子，以及它的功能。

當時，我很慶幸之前把沒有辦法一次就讓孩子瞭解的感覺留下記錄，因此我又有了一次可以正確的為孩子說明的機會。

有的書籍看完之後，孩子還會說：「書名很奇怪。」因為孩子思考的構造非常單純，經常會把自己的感受直截了當的表現出來，反而比大人更能正確的抓出問題點，所以，我連這樣的話也不放過，全部都記錄在「圖書館筆記簿」裡。

過一段時間之後，我再把那本書唸給孩子聽，問孩子的感覺，通常孩子會講出與之前類似的答案，或是提出更進一步的意見。此時，就可以透過「圖書館筆記

簿」，觀察孩子的想法是如何改變，這對我有莫大的幫助。

當每天的閱讀時間結束之後，我也會讓孩子在當天所閱讀的書籍中，選出一本自己最喜歡的，把自己的感覺畫出來。

要在很多本書籍裡，選出一本自己最喜歡的，對孩子而言，並不是一件容易的事。剛開始孩子會沒有定律的挑選，不過，經過一段時間後，可以發現孩子會選擇一定的主題，只要從旁觀察，孩子的興趣就會完全呈現出來。

此時，要問孩子為什麼喜歡這本書，然後把原因記錄在書名的旁邊，如果是圖畫也可以選擇畫一整頁，或是隨心所欲的畫出書中的主角、代表性的物品也可以。

畫畫的過程中，不需要指定孩子一定要畫橫式或是直式，讓孩子自行選擇就好。有些孩子非常執著橫式或直式，雖然那也是孩子的性向之一，不過還需持續觀察，才能更正確的判斷孩子的性向。

大體而言，七歲前後的孩子比較執著於直式，這是因為被一般筆記簿的形式所影響，但，繪畫本是可以隨心所欲的畫直式或橫式的，因此，父母要指導孩子不要拘泥於單一形式，盡可能的自由發揮。

如果偶爾孩子格外的執著於直式，而對於橫式的繪畫呈現不安狀態時，應先細

心觀察，並與專家做詳細的諮詢，因為這很可能是孩子所表現出的異常心理反應。

由於「圖書館筆記簿」不同於一般的筆記簿，它並沒有線條，所以要告訴孩子，可以隨著圖畫的主題而改變下筆的方向。

不過，重要的是，只有這段時間可以讓孩子隨心所欲的發揮。

當孩子畫好之後，必須要詳細的問孩子不同的圖畫所代表的意思，然後再把它記錄下來。

此時，還要讓孩子為自己所畫的圖畫取一個名字。

一開始，孩子們大部分都會以事物原先的名字為名，不過，如果持續下去，後來孩子所取的名字甚至可以達到讓大人都無法想像的優秀程度。

例如：剛開始也許孩子是用「樹木與孩子，雲彩和小鳥」這種方式來取名，這時，父母如果用「哇，我的兒子（或女兒）都有名字，它怎麼這麼可憐，沒有名字呢？我們來幫它取個名字吧！」的方式來誘導，孩子就會以自己喜歡的名字為樹木或雲彩取名，如「〇〇〇樹和〇〇〇小朋友」等。

然後再繼續用這種方式，不斷刺激孩子的思考與表現方式，問他說：「他們在做什麼？」時，孩子就會用「搖晃的樹木與微笑的雲」來回答。

如果更進一步以「它們是怎麼搖晃?笑的時候，會有什麼樣的笑聲?」這樣的問題繼續誘導時，孩子就會用「左右搖晃扭擺的樹木和哈哈笑時嘴巴非常大的小孩」等更具體的事物來表達。

有時，孩子們會不瞭解媽媽所問的問題，因此無法正確的表達，媽媽應該要先為孩子做示範。

此外，對於孩子的塗鴉，父母也要瞭解他畫的是什麼?為什麼要畫這幅畫?並把孩子的答案記錄下來，就會變成一個資訊情報。

讓我們驚訝的是，在我們大人的眼中像是很隨便的塗鴉，其實是孩子思考很久後，用自己的方式表現出來的。因此，就算過了一段時間，再問孩子那幅畫所代表的意思，孩子們的答案依然會相同。

另外，對於幼兒而言，「觀察」非常重要。

如果仔細觀察幼兒時期孩子的行動、言語和動作等後，記錄下來，待孩子進入幼稚園，開始接受學習指導時，可以協助瞭解孩子的性向與適合孩子的學習方法。

因此，父母也可以將「圖書館筆記簿」，當作是為孩子所做的一種觀察記錄。從一本「育兒日記」開始，然後演變成孩子的「成長日記」、「幼兒閱讀日

記」，最後成為「圖書館筆記簿」。待孩子長大成人之後，也可以把這一切拿給自己的子女看，是非常值得保存的一份回憶。

不需要勉強孩子寫讀書心得

國小學生最不喜歡做的事情之一，就是寫讀書心得，因為不想寫讀書心得，甚至會排斥看課外書籍。

寫文章是一件非常困難的事，對我而言也是一樣，所以，每當我提筆的時候，都會猶豫不決，因為不知道要寫什麼。

嚴格來說，「寫」和「讀」不屬於同一階段，寫是屬於運動的領域，而閱讀是屬於感官的領域，雖然寫讀書心得的訣竅很容易掌握，不過，要寫得有內容、有條理，是需要經過高度思考的。

思考力不是一夕之間就可擁有的，相信每位媽媽們都很清楚，因此，在寫之前，一定要先教導孩子閱讀的方法。不是單純唸「字」，而是讀內容，且一定要透

過可以瞭解思考的「讀字」階段。

至於寫的部分，以讀為基準，到了某個階段之後，就會自動提升。為了想要把自己的想法有創意的表達，需要經過長時間，累積很多的資訊情報在腦海裡，才有可能達到。

我們要明白，如果沒有知識進入腦海裡，相對的就不會有東西出來。所以，要求閱讀尚未成熟的孩子寫讀書心得，不過是一種沉重的負擔，而不是閱讀後的分享。

記得第一次發現珍兒的學校作業，是要寫讀書心得的時候，我看到珍兒為難的表情，於是我對珍兒說：「如果不想寫，就不要寫。」

但因為珍兒怕不寫作業，到學校會被老師懲罰，所以我要珍兒把「圖書館筆記簿」帶到學校給老師看，並安慰她說：

「珍兒，媽媽覺得老師要的不是一、兩張的讀書心得，而是想要知道珍兒看了哪些書籍，並有著什麼樣的想法，所以媽媽認為把每次閱讀之後，並記錄下來的圖書館筆記簿拿給老師，應該不會有問題才是。」

「圖書館筆記簿」是媽媽和孩子一起看完書籍後，由媽媽將很多的對話內容大

略記錄，然後讓孩子再看一遍。如此一來，孩子長大之後，自己會閱讀書籍時，就會自然而然的把記錄方法連接至讀書心得上。

還好珍兒的導師瞭解我的意思，就讓珍兒用「圖書館筆記簿」替代了讀書心得。不久之後，就算我不記錄，珍兒也會主動的開始做記錄了。

其實，孩子們並不是不喜歡寫讀書心得，正確來說，應該是因為不知道什麼是讀書心得，而不喜歡寫讀書心得。

所以，如果強迫孩子去寫讀書心得，孩子就很容易變得不喜歡看書，父母要特別注意才行。

總而言之，對於不喜歡寫讀書心得的孩子，父母最好是不要強迫他寫，配合孩子的能力與興趣，多元化的閱讀書籍，才是最重要的關鍵。

與其閱讀量很大，不如正確的閱讀

任何事情如果是用量來衡量很容易，用質來比較則非常困難。尤其透過書籍的

教育，到底要如何做質的比較，是很多媽媽們最大的煩惱之一。

就算如此，還是會有很多父母親們認為，只要孩子看很多書籍，就算是完成了一切，因此會無條件的要求讓孩子看很多書籍。

其實，比起閱讀很多書籍，更重要的是如何正確的閱讀書籍。

我們的祖先認為，只要閱讀很多書，總有一天自己會領悟體會。不過，生活在現今繁忙時代的我們，幾乎不可能這麼做，因為要看的書籍實在太多了。

在這樣的情況下，教導孩子閱讀的方法，是非常必須的。因為，從幼年時期閱讀童話書籍開始，所培養出的正確閱讀方式，可以持續到長大成人。

我個人是在踏上法國留學之路後，才有機會學習到閱讀的方法。當時，我發現法國的博士生閱讀書籍的方法，與五歲幼兒閱讀書籍的方法完全一樣。

換句話說，法國的學生們是從幼稚園時期，就學會了正確的閱讀方法，再把幼年時期所學習到的一切，活用到博士班課程上。

這兩個閱讀方法，有一個很大的共同點，就是不會毫無條件的追隨作者的想法，而是在閱讀的過程中，不斷地尋求屬於自己的東西。

韓國人對書籍的內容都會抱持著相當信任的態度，都認為作者是正確的，因此

會盲目的追隨作者的想法，無意識的翻閱著書籍。用這樣的方式來閱讀，也許會增加一些雜七雜八的知識，卻很難去深入思考或產生創意。

法國人非常清楚這一點，因此會透過作者的想法，不斷地整理自己的想法，進而創造出屬於自己的書籍。

那麼，要如何閱讀書籍，才能整理屬於自己的想法，並做出一本屬於自己的書籍呢？

一、以幼兒的情況為例：

（一）進入圖書館之後，先選好位子，將「圖書館筆記簿」、彩色筆、文具等放在書桌上後，再去選擇要閱讀的書籍。

（二）書籍應由媽媽和孩子一起選擇，最好是把孩子所選擇的書籍，和媽媽所選擇的書籍，分開來閱讀。

而孩子所選擇的書籍一定要在「圖書館筆記簿」裡註明，因為這是反映孩子的興趣，經過一段時間後，就可以瞭解到孩子的性向。而媽媽選擇書籍時，參考推薦圖書目錄會比較好。

（三）一定要讓孩子坐在媽媽的膝蓋上，唸書給孩子聽。

（四）唸書給孩子聽的時候，不要用口述童話方式，而是用平常唸書的方式，舒適的為孩子閱讀。因為，習慣口述童話的孩子，很容易變成一個依賴媽媽唸給自己聽的小孩。

（五）閱讀書籍應從封面開始，看著封面的圖畫，不斷地說出很多可以引發孩子好奇心的問題與答案，依序告訴孩子書籍的書名、作者、出版社、圖畫……等等。

舉例來說，在閱讀「龜兔賽跑」的故事時，可以這樣嘗試：

「你看過烏龜和兔子在比賽嗎？」

「住在水裡的烏龜和住在陸地上的兔子，牠們是怎麼一起比賽的呢？」

「咦，牠們好像變成朋友了耶？」

「這是哪一家的兔子呢？」

「啊哈，原來是○○出版社的兔子耶！」

也許一開始孩子還小，所以可能不會有特別的反應，就算如此，媽媽還是要盡量編故事。

從封面的圖畫開始說明，再慢慢的唸封面上所出現的字，然後讓孩子看圖說故事。就算孩子在說故事的過程中有些笨拙，也不可以從中打斷，一定要聽到最後。

孩子們經常會把自己聽到的內容，與圖畫的內容混在一起後，編成一個故事，那就是孩子的創意爆發的時刻。

最後，父母親再以整理的方式，用比第一次快一點的速度，再唸一次給孩子聽。

（六）有的孩子不喜歡一本書看很多次，而是喜歡不斷地看新書。對這樣的孩子，父母最好是為他閱讀多樣化的書籍，因為與其強迫孩子同一本書看很多次，還不如讓孩子快樂的看一次，反而對孩子更好。所以，在這方面，父母要根據孩子的個性做調整。

（七）看立體書籍一天不可以超過五本。當孩子的集中力下降時，可以善用有著隱藏式圖畫或摺紙書等的立體書籍，這是為了告訴孩子，書籍不是乏味的，或是只有字的，如此一來，就可以很快再喚回孩子的興趣。

不過，如果看太多立體書籍，很有可能發生孩子不喜歡看其他書籍的副

作用，因此要格外的注意。

（八）父母應該以孩子實際閱讀的年齡為準，每隔一段時間，提高一點難度，且因地制宜。

以珍兒為例：若珍兒是五歲的時候離開韓國，八歲的時候又回到韓國，在她看韓國的童話故事書時，應該從五歲的幼兒書籍開始看會比較好。

（九）每當孩子看完一本書時，就要在「圖書館筆記簿」裡，仔細記錄孩子看書的過程中所講過的話，或一些反應等。

（十）每次借閱三本孩子喜歡的書籍，並在一星期之內歸還會比較好。

〈不同時期的幼兒閱讀法〉

- 四個月：此時的孩子活動量比較小，所以聽聲音和觀察的時間比較多，當媽媽唸書給他聽時，孩子會躺在那裡靜靜的聆聽。
- 六個月：此時，孩子比較不會乖乖地躺在那裡聽，反而對於可以摸、抓，或是放在嘴巴裡吸吮的東西更有興趣，因此，書籍成為一個可以拿著玩的玩具。

此外，這時期的幼兒開始對節奏有反應，所以媽媽唸書給孩子聽時，應該更加注意音節、腔調、押韻等方面。

● 八個月：比起媽媽唸書的聲音，這個時期的幼兒反而對翻書頁更有興趣，所以，媽媽可以盡量讓孩子翻書頁，不過還是要繼續唸書給孩子聽。

● 十二到十八個月：這個時期，孩子們會更積極的想要知道書裡面的內容，因此，一定要詳細說明書中提及的物品，如果是動物，甚至要模仿動物的聲音給孩子聽。

此外，最好不要每天更換不同的書籍，而是選出幾本最想要給孩子看的書籍後，重複為孩子閱讀，這可以提升孩子的語彙能力、記憶力以及想像力。

根據學者的說法，就學前的兒童，將同一本書籍大約閱讀十二次左右，就會提出很多的問題。也就是說，每當多看一次，孩子就會對書的意義瞭解得更仔細。

● 二到五歲：到了這段年齡，孩子們連閱讀書籍都想要模仿大人，甚至有些孩子可以把整本書全部背下來，並照著唸，而且還會炫耀自已會唸字。

此時，父母親要給予孩子很多的稱讚與鼓勵，孩子才會對書籍更加有興趣。

此外，這個時期給孩子看的書籍，應該選擇顏色明亮的圖畫書會比較好，然後再以擬人化的方式為孩子閱讀，並記得觀察孩子的反應。

二、以國小生的情況為例：

（一）指導國小生閱讀應與幼兒有所不同，首先，因為書籍的分量增加，通常兩個小時可以閱讀兩到三本，如果內容較長，甚至可能無法閱讀完一本。這時，父母可以參考推薦圖書目錄。不過，如果有孩子特別喜歡的領域時，最好是從那個領域相關書籍開始閱讀。

（二）有些孩子不習慣唸出聲音來，因此可以採用一段由孩子來閱讀，一段由父母親唸給孩子聽的方式交叉閱讀，如果是短篇故事，則可以一篇一篇交替來讀。如此不但可以提升孩子的聽力，也可以加強閱讀集中力。如果讓孩子自己看書，孩子很容易就會厭煩，如果和媽媽一起閱讀，

孩子對閱讀會比較容易產生興趣。

（三）在閱讀過程中一起分析內容，對於幼兒們會有困難，不過，國小生已經具有表達的能力，父母可以藉機問孩子「為什麼會發生這件事」、「結果又如何時」，孩子們就會興高采烈的說出自己的想法。閱讀完書籍之後，父母還可以問孩子「如果我是主角，我又會怎麼做呢？」、「你有沒有經歷過和主角類似的事情呢？」等等。這時，就算孩子把故事說錯，或是把自己的情況混在一起，編出另外一個莫名其妙的故事，也要鼓勵孩子發揮自己的想像力與創意，孩子才會愈來愈喜歡閱讀。

（四）有些孩子對於分析書籍內容，會感到非常有壓力，此時，不可以強迫孩子一定要做分析，因為這樣反而很容易造成孩子不喜歡閱讀。應該要針對書籍的內容做一些猜謎遊戲，來減輕孩子的壓力，孩子就會在沒有反感的情況下，自然的做分析。如果連這樣的方式，孩子也會感到有壓力時，可以用「媽媽覺得……」的方式，先告訴孩子媽媽的想法。這樣以後孩子也會模仿媽媽，將自己

對於書籍的感受與想法說出來。

（五）分析原因時，要把實際的書籍內容與想像的部分混在一起。舉例來說，我們看完「沈青傳」（註：韓國傳統故事，類似台灣的媽祖傳奇），大部分的孩子都對沈青穿著韓服，跳入大海裡的畫面印象深刻。此時，我們應該利用「沈青為什麼會跳進大海裡？」這樣的問題，來刺激孩子的想像力。

當問到這個問題時，看過「沈青傳」的孩子都會回答：「因為希望爸爸的眼睛可以重見光明。」

如果因為孩子的答案與書籍內容相符，就簡單稱讚孩子後，結束這個話題，孩子的想像力與創意就無法再進一步的開發。因此，應該要進一步的問問題。

給孩子閱讀書籍時，我最經常問的問題就是「為什麼會這樣呢？」剛開始，孩子們就像背誦書的內容一般的說出來，經過一段時間後，孩子們就會說出很多不同的答案。

透過這樣的過程，我讓孩子瞭解「任何事絕不是一個原因所引起的，一

定還有很多看不到的原因」。

所以，除了書中所呈現的內容之外，要盡量提供一些可以讓孩子發揮想像力的故事。因為書裡面的內容雖然很重要，不過，以這個為基礎，培養具有創意的想法的能力，對於國小低年級生而言，也非常重要。

（六）閱讀書籍後，把自己的感受用圖畫來表示，對於幼兒與國小低年級生非常適用，父母可以在逐漸與孩子有默契時，用寫信給主角的方法，或是選出好文章照樣寫寫看的方式，讓孩子學習圖畫與文字並行。

（七）孩子進行了一陣子的閱讀後，可以嘗試讓孩子為每一頁的內容取個小標題，待該本書籍閱讀完畢時，把所有的小標題登記在筆記簿裡，我們可以發現這些標題便成為一個目錄。

此外，閱讀完書籍之後，最好是可以讓孩子寫對該書籍的評價。只要簡單的寫出該本書好看或不好看的原因即可。我們要切記，不要強迫孩子寫閱讀心得，當我們強迫孩子寫閱讀心得那一剎那，孩子就會開始討厭閱讀。

簡單的記錄自己對書籍的感受，並讓孩子們瞭解，把那樣的內容聚集在

一起時，就自然而然會成為閱讀心得。

（八）當孩子對閱讀有更進一步的信心時，可以引導孩子選出印象深刻的內容或是選出想要更換的內容、更換結論等，孩子就會主動的製作出屬於自己的書籍。

在指導孩子閱讀的過程中，最重要的是，一定要給予孩子很多稱讚，這樣孩子才會喜歡閱讀，並毫無扭捏的表達自己的想法。

可以表現自己想法的孩子，在課業上如果有不懂的地方，隨時都會提出問題，透過這樣的過程擴充自己的知識，進而成為優等生。

圖書館是科學童話的寶庫

幾天前，我在市場買菜，突然接到珍兒打來的電話。

「媽媽，快點回來！時煥從椅子上掉下來，正在哭。」

因為與珍兒通話時，聽到一旁時煥的哭聲，我慌亂的馬上回家。

回到家後，我發現時煥眼眶紅紅的在接受姊姊為他冰敷。

好不容易安撫好正在哭的時煥後，我問一旁的珍兒：「怎麼會弄成這樣？」

珍兒告訴我說，他們當時正在聽漫畫電影的配樂，當出現「飛吧」這句歌詞時，時煥就把椅子放到衣櫃旁邊，然後爬上去，在高處揮動著手臂，結果跌了下來。

為了說明當時的情況，珍兒還重新播放CD，並模擬當時動作，我看了真是哭笑不得，只好問他：

「時煥，你為什麼那樣做？你想飛嗎？」

「嗯。」

「就算受傷也沒關係？」

「如果我手臂揮動得更快一點，應該就不會受傷。」

聞言，我一邊幫他擦藥，一邊煩惱著要如何滿足孩子的好奇心。

在孩子哭累睡著後，我打開了電腦，進入圖書館網站，開始查詢相關書籍。

我用「飛翔」、「飛機」、「萊特兄弟」等，所有我想到的相關單字為關鍵字來查詢，查到以「飛翔」為主題有「魔女維妮重新飛起來」等三本書、以「飛機」

為主題的有二十三本，以「萊特兄弟」為主題的有七本。

由於有關飛機的創作童話，時煥幾乎都已經看過，因此我決定要看與「萊特兄弟」相關的書籍，於是把這些書名記錄下來。

孩子們有一顆非常好奇的心，如果大人們不把它當作一回事，對於正在成長中的孩子而言，會造成不良的影響。

但要滿足孩子的好奇心，相對的會遇上很多困難。像我就經常因為科學常識不足，必須藉助百科全書和圖書館的相關書籍。

其實，科學並不是艱澀的，它是一種可以滿足孩子們好奇心與想像力的學問。

針對幼兒，我們可以選擇科學童話來閱讀。每一個圖書館都備有與科學相關的童話故事，足以用來滿足孩子的好奇心。

時煥睡醒後，我就把他抱到我的膝蓋上，告訴他：「時煥，想要飛翔是一種非常自然的慾望，媽媽也想飛翔。為了滿足那些想要飛翔的人，所以萊特兄弟發明了飛機，明天我們到圖書館去找有關萊特兄弟的書吧！」

第二天，時煥在圖書館閱讀了有關萊特兄弟的書籍後，很高興的知道原來也有和自己想法相同的「哥哥們」，所以他不只看了有關萊特兄弟的書籍，也看了有關

飛機原理的書籍，最後他終於明白，揮動手臂是無法飛翔的，一定要利用道具才行。

換言之，因為一次的錯誤，時煥不只認識了飛機，也學習到與飛行有關的知識。

書是最後的玩具，盡量讓孩子變得無聊

近來，很多父母親愈來愈重視孩子的閱讀，這是一種好現象，但我也很擔心這樣的風潮是否會破壞以往的自然閱讀現象。

其實，不是只要閱讀，就可以接收書中的知識，更不是不閱讀，馬上就會發生嚴重問題。但是，我們又不得不承認，喜歡閱讀書籍，頭腦裡就會湧出無窮無盡的智慧，因此，很多父母親會對孩子不看書感到煩惱。

不看書的原因有很多，最大的原因是因為沒有時間看書。這是因為一般人都認為，書是用來打發閒暇時間的最後工具。

當然，有些大人們會百忙當中撥空來閱讀書籍，不過，對於不知閱讀的必要性的孩子而言，書籍是最後的玩具。

因此，為了讓孩子變得喜歡閱讀書籍，就要讓孩子感到無聊。

不過，現今的孩子們根本沒有無聊的時間，因為他們每天都得到不同地方去學習，回到家裡時，都已經疲憊不堪，所以要這些孩子們閱讀書籍，他們當然只能回答說：「我不想看書。」

父母如果將這樣的情況認定為「我的孩子不喜歡看書」，是不對的。

閱讀書籍絕對不是用強迫來的，當然，如果父母強勢地要孩子閱讀，孩子是會閱讀書籍，不過，這樣的方式，孩子根本無法從中獲得閱讀的喜悅以及幸福感。當父母不再強迫或命令這些孩子閱讀時，孩子將不會再打開書本。

如果希望自己的孩子喜歡閱讀書籍，首先要讓孩子感到無聊，當孩子感到無聊時，就自然會閱讀書籍，當孩子因此發現閱讀的樂趣之後，以後就算再忙，孩子也會撥空閱讀書籍。

所以，不要費心讓孩子閱讀很多書籍，而是要讓孩子知道閱讀的樂趣。

除此之外，孩子們不看書還有另外一個原因，就是沒有可以閱讀書籍的環境。

也就是說，孩子們對閱讀的環境非常敏感，孟母三遷就是為了這個原因。

讀書環境對於剛開始培養閱讀習慣的孩子，是非常重要的，而閱讀書籍最好的環境就是圖書館，因為圖書館裡有無限量的書籍可以滿足孩子。

當然，現在很多家庭也藏有幾百本書，甚至幾千本書籍，只不過在家裡很難長時間用正確的姿態來閱讀書籍，因為家裡的舒適感，會讓孩子們喜歡趴著看書，或是躺著看書，甚至還會邊看書籍，邊看電視。

以這樣的方式閱讀書籍，孩子不容易專心，肩膀也會出現異常現象，如此一來，就很難培養出閱讀書籍的習慣。

可以把這樣的問題完全去除，並讓孩子培養出好的閱讀習慣的方法，就是圖書館閱讀法。

在很多人一起閱讀的圖書館裡，我們不得不意識到他人的眼光，更不可能隨心所欲的趴著或躺著看書，邊看書，邊看電視或DVD更是不可能，所以，孩子就會自然而然的培養出良好的閱讀習慣。

當閱讀的姿態正確，閱讀書籍的過程中不能做其他事情時，孩子就會長時間的閱讀書籍，而這樣長時間的閱讀書籍，孩子自然而然就會沉醉在書的世界裡。

讓電視兒童結交圖書館朋友

現在只要打開電視，有很多特定的頻道整天都在播放卡通，也有一些與電腦或遊戲相關的節目。透過畫面的刺激，幾乎不需要經過思考，節目的內容很容易就會進入腦海裡，這導致很多孩子們喜歡看電視打發時間。

不過，受到影像刺激的孩子們，會遠離書籍，因為有比書籍更有趣的東西，所以無法專注地閱讀書籍。我為了讓孩子盡量少看電視，便與孩子們約定好一天最多只能看兩部卡通。

以下是我針對看電視的問題與某父母親諮詢的內容：

Q：我的兒子今年三歲又五個月大，因為他沒有其他兄弟姊妹，所以經常一個人玩耍，雖然我會盡可能抽空陪他玩，可惜時間真的有限，當他感到無聊時，就會吵著要看電視或是VCD，讓我感到很煩惱，在此衷心希望李教授

能給我一些建議。

：根據統計，有幼兒的家庭平均每天看電視的時間是二到三個小時，如果以平均年齡七十歲來計算，每天看電視三個小時，一生就等於看了九年六個月的電視。換句話說，人生的八分之一，是在電視機前面浪費掉的。

為了孩子的未來，一定要縮短看電視的時間，將孩子帶到圖書館去，並讓孩子瞭解圖書館是每天都可以去的地方。

以我自己為例，當孩子從幼稚園回來之後，我都會帶一些簡單的點心，和孩子一起到圖書館去。

通常我都會和孩子在圖書館待兩個小時左右，有時甚至會待三個小時，在下午五到六點之間回到家，讓孩子看兩部卡通後，再讓他們洗澡、吃晚餐，然後在睡覺之前閱讀二十到三十分鐘的書籍。

如果是沒有兄弟姊妹的孩子，更應該經常帶到圖書館去，因為去圖書可以和其他孩子一起閱讀、一起玩耍，這樣孩子自然而然就會認識朋友，而且可以和朋友一起分享書籍、分享點心，度過快樂的時光。

五歲，讓他學習獨立閱讀

相信所有的媽媽都希望，孩子可以盡早學會自己閱讀書籍。因為，幫孩子閱讀書籍並不是一件容易的事，不但會喉嚨痛，而且還要把同一本書重複閱讀很多次，雖然孩子可能會很喜歡，媽媽卻會感到很無趣。

甚至有的時候因為疲倦，想要早點休息，孩子卻吵著要媽媽唸到他睡著為止。此時，媽媽都會揉著愛睡的眼睛，對孩子說：「要早點睡，才會健康啊！」希望可以打消孩子的念頭。

基於上述原因，到了適當時機，媽媽可以根據「圖書館筆記簿」裡孩子所記錄的喜好度為基準，選出幾本書籍。

當媽媽把這些孩子喜歡的書籍放到孩子手中時，因為孩子已經大概知道書中的內容，所以可以在不會感到困難的情況下閱讀。

這時，媽媽千萬不要因為孩子已經可以自己閱讀書籍，所以不考慮孩子的程

度，讓孩子閱讀深奧難懂的書籍或分量太多的書籍，這樣孩子會變得畏懼，轉而不斷要求大人讀給他聽。

通常孩子聽力水準和閱讀能力不可相提並論，當孩子的聽力水準達五歲時，其閱讀能力大概只達到一歲或二歲的程度。

當然，如果是那些媽媽經常唸書給他聽的孩子，其閱讀水準比較容易能跟上聽力水準，所以當他可以獨立閱讀書籍時，就會主動地閱讀一些簡單且有趣的書籍。

但此時不代表媽媽就可以停止唸書給孩子聽，還是要擁有親子共讀的時間，媽媽可以趁機再唸一些孩子可以瞭解內容的書籍給他聽。

最近，時煥（五歲）正準備自己獨立閱讀書籍，他喜歡把之前看過很多次，大概已經瞭解內容的書籍拿出來慢慢閱讀。

白天的時候，他有時會和我一起看，有時會自己一個人看。吃完晚餐之後，我就會讓他在全家人面前閱讀大約二十分鐘左右。

由於大家會全心去聆聽時煥閱讀書籍的聲音，並給予最大的鼓勵與讚賞，因此，時煥非常喜歡在家人面前閱讀書籍，而且每天都有明顯的進步。

時煥比較喜歡看短篇書籍，偶爾他還會跑到我前面，說要唸書給我聽，那模樣

真是又可愛、又好笑，有時，他還會對我說唸得喉嚨很痛，甚至要我倒杯水給他喝。

當初，整天為孩子閱讀書籍的時候，我還以為要一輩子這樣下去，沒想到時間過得如此地快，短短一、兩年，孩子們都已經可以獨立閱讀。

不過，這不是結束，從現在開始，才是真正開啟了孩子們的閱讀世界。

現在我要做的，是提供孩子們可以正確閱讀書籍的環境，檢視孩子們所關心的領域，並確認孩子們在圖書館看了哪些種類的書籍，當孩子閱讀完畢之後，誠心聆聽孩子們發揮想像力之後所提出的一些見解。

先讓孩子閱讀自己喜歡的書籍

孩子們所喜歡的領域，其實與年齡沒有很大的關連。

一旦瞭解孩子所喜歡的領域之後，先從其相關的書籍唸給孩子聽，是理所當然的事。不過，這並不像說得這麼容易。如果沒有把孩子親自選擇的書籍記錄在「圖

書館筆記簿」裡，就很難正確的瞭解孩子真正感興趣的領域。

就算知道，如果不費心思，媽媽通常會在不知不覺中，為孩子選擇一些自己想要看的書籍。

為了培養孩子良好的閱讀習慣，並且成為一輩子喜歡閱讀的孩子，首先就是讓孩子閱讀他有興趣的書籍。

當孩子可以專注的閱讀自己喜歡的書籍時，父母就很容易發現孩子無窮無盡的能力。

珍兒五歲左右，格外的對充滿感情的故事有興趣，那個時候閱讀過的一些故事書，後來再給她閱讀，她依然非常喜歡。有一天，她竟然拿我年輕時期看過的短篇小說集來閱讀。

由於太過驚訝，所以我問她：「妳看得懂裡面的內容嗎？」

結果她回答說：「嗯，真的很好看！」然後把故事大綱說給我聽。

現在國小三年級的珍兒，有關文學方面不僅閱讀過推薦給國中、高中生的圖書，甚至對古典文學也有著濃厚的興趣。但在自然領域方面，珍兒卻沒有很大的興趣，就算我鼓勵她看科學叢書，她也是興趣缺缺。

後來，我想到了一個點子，就是拿一些科學偉人傳記給珍兒閱讀。

沒想到我的方法奏效了，她開始非常喜歡那些偉大科學家們的故事，也逐漸對科學產生了興趣，如今也會看一些有關科學方面的書籍。

而時煥就和其他同齡的孩子一樣，對恐龍有著濃厚的興趣，比起別種類的書籍，他太過喜歡與恐龍有關的，有一陣子我甚至擔心他是不是有閱讀偏食習慣。

不過，我依然順從他的喜好，把圖書館裡有關恐龍方面的書籍，全部唸給他聽。

剛開始，我是依名字順序唸，接下來是以恐龍的特徵別來分析，結果他竟會自己主動分別出草食恐龍及肉食恐龍，並製作出一本屬於自己的恐龍百科，如今，他已經涉獵到爬蟲類與化石，進而接觸原始時代的生活以及古代歷史。

更讓我感到驚訝的是，只要是有關恐龍的書籍，他都看的懂，甚至連大人看的書籍他也能理解。

不久前，他拿了一本名為「恐龍」的書籍要我唸給他聽。

我每天在他入睡之前幫他唸三頁，如果出現他知道的內容時，他就會拿來與其他書籍比較，然後說：「真奇怪，有的書寫的是兩億五千萬年啊，這裡卻不是這樣

寫的。」而且對於大人的百科全書，他也一定會閱讀有關恐龍的部分。

當孩子從自己喜歡的書籍開始閱讀時，就會很容易與書籍親近。

當然，讓孩子閱讀多元的書籍是非常重要的一環，不過，如果漠視了孩子的興趣，一開始就讓孩子閱讀多方面的書籍，孩子只能長成一個再平凡不過的孩子罷了。

相對的，如果孩子可以找出自己真正喜歡的領域，並以它為基礎，多元化發展，就等於是踏上了成功人生的第一步。

讓孩子在閱讀後，可以盡情的說出自己的想法與意見

「媽媽，彩虹什麼時候會出現？」

「這妳不是知道嗎？」

「今天，老師問了有關彩虹的問題，所以我就舉手講了希臘神話的故事、牛郎織女的故事，以及小孩追逐彩虹的故事，可是老師卻說我說的不對。媽，我說錯了

嗎？」

我頓時不知道該如何回答她，因為閱讀很多童話故事的孩子，經常會把童話與現實生活搞亂，而我也不想謀殺孩子這樣的童心與想像力，只好對她說：

「珍兒說的也沒錯，只不過因為科學家們想要用科學方式，來證明天上的彩虹，所以才會說彩虹是由於太陽光照在雨滴上，產生折射，而形成有七種顏色的美麗景象。

我們所看到的彩虹是半圓形的，但實際上彩虹是圓形的，我想大概老師是要對妳說：『以科學的角度來看，這是錯誤的說法吧！』」

偶爾孩子會沉迷在書中世界裡，無法回到現實世界，並會講很多無厘頭的話，不過也有他自己的一番理論。

我閱讀書籍時，或閱讀完畢後，會與孩子們談很多的話，此時，珍兒總是會說：「如果由我來寫，我會把主角寫得更漂亮，然後會讓她這麼做」、「如果是我，我會把背景定在巴黎」等充滿想像的話。

幾天前，她甚至還說出，「如果瑪麗．居禮（Marie Curie）看了希臘神話故事之後，會最喜歡哪一位神呢？我想大概是黑佛史托斯（Hephaistos）吧？因為她

每天喜歡製作或實驗」等，這一類有著自己的判斷、批評與想像的話。

閱讀「夢實姊姊」後，有一段時間，珍兒會在圖書館裡找尋書名裡有著「姊姊」的書籍來閱讀，接著根據出版社發行的年度，把這些書籍排出順序，製造屬於自己的故事。

有一天，她突然說：「身為『姊姊』的我，要做的事好像非常多耶，哪怕只年長一歲也是件非常辛苦的事。」

這番頗具有哲學的話，讓我驚訝不已。

有的時候，她會把一些不同書籍裡的主角聚集在一起，讓他們吵架，或是把他們設計成兄弟、戀人或朋友關係，然後自己樂在其中。看著這樣的珍兒，我偶爾會想，到底孩子想像力的盡頭是在哪裡？

孩子們無厘頭的想像，就是另一個形式的未來，如果愛迪生沒有無厘頭的幼年時期，後來就不可能成為一位優秀的科學家。因此，我們不要忽略孩子們無厘頭的話，反而應該協助他們把想像變得更具體，他們就有可能會成為未來的作家、科學家或藝術家。

讓孩子可以利用百科全書掌握全世界

前面曾經提及過，我對於這個世界有了更進一步的瞭解，是國中一年級在圖書館等爸爸下班來接我時，很偶然的看了百科全書之後。

本來我是毫無計畫的跳躍式閱讀，當看到年表及圖畫時，就會專心的看，後來是以人物別方式來閱讀。

舉例來說，閱讀「太祖篇」時才發現，原來中國及韓國歷史上，都有無數位太祖，因此，我開始查詢「太祖」是什麼意思，後來知道所謂「太祖」，是給每個王朝的開國者的廟號（皇帝的謚號）。

如此，我從引發我好奇心的人物開始閱讀，逐漸擴展至與他們有關連的歷史事件，當閱讀的資料逐漸龐大時，我開始把各個事件區分為韓國與世界，並以年度別整理相互做比較。

例如：西元前三一二年，君士坦丁大帝（Flavius Valerius Constantinus）登基之後，為了贏得民心，掌握權勢，發佈米蘭詔令（Edict of Milan）承認基督教的

地位。

同時代，在現在韓國的土地上，高句麗的美川王與百濟聯合滅亡了樂浪郡，掌握了朝鮮半島的中心地區，甚至擴張、影響到遼東地區。

我對這種同時代東西方歷史的比較感到好奇，因此在練習簿上，用自己的方式，製作一個屬於我自己的歷史地圖，然後透過百科全書，想像自己無法去的異國世界。而這些與歷史相關的書籍，後來成為我在美術史研究時，非常寶貴的資料。

從那個時候起，每當我有新的研究課題時，首先就是找出關鍵字，並根據關鍵字，翻閱百科全書，找到大略的內容為基礎後，再繼續找尋新的關鍵字，在不知不覺中，就接近了問題的核心。

我對百科全書有相當濃厚的感情，在懷孕初期，我買的第一本書就是兒童百科全書；到了法國之後，我也是買了「Le premier live mon encyclopedie」（我的第一本百科全書）與珍兒一起看，就算看不懂內容，我們還是不放棄，就好像在解謎題一般，從中一個個搜尋自己認識的單字閱讀。

百科全書裡真的什麼都有，是一個百寶箱。

有一次，我為對人體有好奇心的孩子找有關「耳朵」的內容閱讀，當發現「鼓

膜」時，再開始找有關鼓膜的內容來閱讀。

如果在閱讀有關鼓膜內容的過程中，又出現其他不知道的單字時，我們又繼續找尋。如此一個接一個的搜尋，不知不覺中，一整天又悄悄的過去了。

此外，在找尋自己要閱讀的書籍之前，透過百科全書找出大概的關鍵字後先閱讀，如此一來，開始閱讀書籍中的內容時，就會更容易瞭解。

百科全書可以無限的刺激孩子，讓孩子養成只要有疑問時，就立刻找答案的習慣，孩子們就會找到自己閱讀的方法。

所以，父母們，讓孩子打開百科全書，去認識這個寬廣的世界吧！

不要只問孩子問題，要會引導孩子說出自己的想法

以下是針對為孩子唸完書籍後，喜歡問問題的媽媽和討厭媽媽問問題的小孩之間，所產生的糾紛的諮詢內容。

Q：您好嗎？我的兒子今年七歲，還不識字，但由於從小爺爺與奶奶唸了很多書籍給他聽，因此他非常喜歡聽書。而且，大部分的書只要唸個一、二次給他聽，他都可以正確的記取內容，甚至可以在家人面前把故事內容講一次。

他從小就對創作童話、傳說童話、偉人傳、科學圖書，以及圖鑑類書籍（昆蟲、魚、植物等）有興趣。最近則比較喜歡看Visual博物館系列（戰爭、中世紀騎士、武器、岩石、礦物等）書籍和漫畫書（希臘、羅馬神話等）。

對於漫畫書，我們不會唸給他聽，而是要他自己看圖，其他書籍我們則是希望都唸給他聽，因此，通常我們會選他喜歡的一、二本書，和以創作為主的一、二本書，輪流唸給他聽。

也許長時間他是用聽的，所以他的聽力非常發達，不過，瞭解內容的能力則逐漸退步。

閱讀完書籍後，問他有關內容時，他就會回答我說：「媽媽，我最討厭妳問問題了，我不喜歡去想。幼稚園老師也是每次唸完書後都會問問題，

為什麼媽媽妳也是這樣？就這樣唸給我聽就好啦！」

雖然如此，每次閱讀完後，我還是會問問題，但有時我也不知道要問孩子什麼問題，也會因為無法提出多樣化的問題而感到為難。

：以七歲小孩子而言，這種反應是理所當然的。

根據發展心理學所言，通常六十個月前後的孩子們，會開始成立「自我」，從此之後，孩子會有自己的想法與執著，並對於自己的世界有防禦的本能。而此時對於接受他人的問題或介入，會有敏感的反應。

與孩子一起閱讀書籍後，要注意的事，是要與孩子聊天，而不是問問題。媽媽應該要先說出自己的想法，不要一開始就問問題，問孩子問題會讓孩子認為那是閱讀完畢的一種確認行為，對於這種確認行為，孩子會有敏感的反應。而這樣的情況繼續累積時，孩子就會變得不喜歡書籍。

所以，媽媽最好不要用確認的方式，而是要把自己對書籍內容的想法，或是在閱讀過程中想到的劇情，用經驗談的方式先告訴孩子。

例如：「媽媽小的時候，就像這個小孩一樣，是在鄉下長大的，記得有一次

在泥漿裡玩，結果被爺爺責罵呢！」

然後再說：「以後我們到鄉下去的時候，也一起玩玩看吧！」

或是說：「媽媽不喜歡這本書裡的女主角，她太裝模作樣了，而且也不照顧弟弟妹妹，還那麼貪心，你看我的女兒多麼會照顧弟弟妹妹呀，對不對？」

如果媽媽經常這樣打開自己的心扉對孩子說話，孩子們就會照著媽媽的方式，開始表達自己的想法。

通常，接觸很多書籍的孩子，會漸漸獨立閱讀，此時，不要選擇很多種書籍，只要挑出少數幾本，與孩子一起一本一本閱讀下去。待識字之後，孩子會更加喜歡接觸書籍。

切記，聽力的發展對孩子的閱讀非常重要

根據孩子的發展階段而言，孩子從出生之前，就可以聽到聲音，接下來會講

話、會讀，再來才是會寫，沒有一個階段是可以跳過的。

不過，在閱讀教育方面，很多媽媽們想要忽略這樣的階段。所謂閱讀，一定先是要聽很多，當耳朵熟悉之後，才會開啟想要讀的眼睛，耳朵與眼睛裡要湧進很多東西與內容，才能產生寫的力量。

可是，一般的媽媽們總是要求一個尚未完整接受聽力教育的孩子會閱讀，當孩子可以閱讀書籍時，馬上就要求孩子要會寫。

我認為這是不對的。就像還不能站起來的孩子，是無法奔跑一般，每個孩子都應該從聽力開始學習，就像珍兒一樣。

我讓剛從法國回來，就讀國小的珍兒，聽我唸給五歲小孩看的圖畫書，這樣的做法，引來很多異樣的眼光。不過，為了培養孩子的聽力，我選擇忽略那些眼光，持續下去。

結果證明，我的判斷與想法完全正確。珍兒從一開始的圖畫書，逐漸接觸分量較多的童話書，過沒多久就可以自己閱讀書籍，並且也會說韓文了。

聽力的重要性，已經得到醫學界的證明。

美國的醫學界曾經證實，如果為生下來超過六個月以上的孩子持續閱讀，孩子

的頭腦就會變聰明。

這是因為父母親為孩子閱讀每個單字、每個句子時，孩子就有數千個腦細胞會反應，如此一來，細胞間的連接構造會更加堅固，其間隔也會變得更加緊密，在增加新細胞的階段，就會自然增進言語認知能力。

聽力卓越的孩子，其說話技巧也很優秀。每個人都會說話，不過要正確表達意思，是需要把腦海裡的想法整理後，以最完整的方式來表現。這都必須在聽的過程中，先理解對方的意思，才有可能達到。

除了醫學上的證明，從大文豪哥德幼年時期的故事，也可以知道聽力有多麼重要。

哥德的母親每天晚上閱讀書籍給哥德聽的時候，都會故意在最緊張的時刻停止，然後答應明天再繼續唸給他聽之後，便離開房間。

她到底為什麼這樣做呢？其實是為了給哥德自己想像後面的故事情節的空間。

孩子們聽了媽媽閱讀給他聽的內容後，會把內容印象化。實驗結果顯示，比起用眼睛看，並在腦海裡印象化，用聽的方式再印象化的能力，反而更加強烈。

此時，孩子發揮的能力就是想像力，透過想像力與主角對談，把童話裡面的故

事轉換成自己的。

想像力不是理性與理論所支配，而是與感性有關連的一種能力。自由奔放的創意就是透過這樣的想像力所形成。

有想像力的孩子，就會跳出有創意的想法。

創意力與創造是完全不同的概念，以之前瞭解的知識為基礎，並重新應用的能力，就是創意力。不是從「無」到「有」，而是從「有」變形成另一種「有」，這就是創意力。

舉例來說，蘋果成熟後會掉下來，是人人都知道的事，不過，這一件對某些人毫無意義的事，對牛頓卻成為一個偉大的發現，這就是創意力。

為孩子閱讀書籍，並不是單純為了促成孩子的發展，而是透過聽力可以發達想像力，再透過想像力茁壯創意力。

如果瞭解人類所有知的能力的基礎，就是從聽力開始，就會明白為孩子閱讀書籍是多麼重要的事情。

英語也像韓文一樣用童話書來教導

通常我們只要說到學習外語，就會想到要到補習班去學習。英語早期教育的風潮傳開之後，現在不但是英語補習班，甚至還出現英語幼稚園。

不過，如果我們換個角度想想，當初讓孩子學習母語的時候是如何做的，相信沒有一個媽媽是將孩子送到補習班學習的。

媽媽們可能會在為孩子閱讀書籍，或一起看童話書的過程中，教導孩子認字，那為什麼說到英語時，就沒想到要用相同的方式呢？

其實言語皆擁有相同的系統（聽、說、讀、寫），而有個研究結果告訴我們，孩子的母語就是國小的言語。所謂國小的言語，就是完成了聽、說、讀、寫的階段。

因此，就如同教導母語一般來教導英語，孩子就可以毫無困難的像母語一般接受英語。

我和珍兒就實際經歷過這樣的過程。

剛到巴黎的時候，珍兒只會說簡短的韓語單字與句子，讀和寫完全一竅不通，法語更是一句都不會。但我每天要她與幼稚園老師和圖書館老師接觸，兩位老師每天為珍兒閱讀、說兩個小時的法語童話書，讓珍兒自然而然的學習法語。

最後，珍兒說法語時，簡直就像個道地的法國小孩。

這結果讓我非常驚訝，因為我真的沒想到，短短六個月的時間，珍兒就能把法語學習的如此徹底。

不僅如此，我發現她連讀與寫都已經是用法國式的思考。那是因為她不是以單字學習的方式，而是透過書籍所學習的語言，因此，連思考體系都一併學習到了。

對於一個可以閱讀外語童話書的孩子而言，翻譯沒有任何意義，只要會閱讀文章，並將文章裡面的單字透過圖畫來瞭解，單字就會記在腦海裡。

而大人學習外語速度比小孩遲緩，是因為每次都要經歷翻譯這個階段後，才能瞭解的緣故。

回到韓國後，我用教導珍兒學習法文的方式來教導她韓文，也許是因為曾經進行過某種程度的聽力教育，這次的學習速度比上次還要快，在短短兩個月的時間裡，她已經可以毫無阻礙的用韓文來溝通，也可以達到某種程度的聽寫能力。

對孩子而言，就算換了語言，思考體系還是沒有改變的，所以珍兒的思考方式依然是法國式的，就是先想原因，然後再下結論，並將該結論合理化。因此，不論是外語或是韓文，只教導字與言語，然後閱讀童話書給孩子聽是不夠的，同時也要教導孩子思考體系。

而老二時煥已經可以獨立閱讀，因此，我就閱讀外國童話故事書給聽，韓國童話書我則是要他自己看、自己思考。

由於他是一個對於書籍沒有排斥的孩子，所以不管我是唸英語或法語的書籍給他聽，他都非常好奇。

每天晚上入睡前，我固定會閱讀二十分鐘的英語童話書給他聽，我可以感覺到他比學習韓文更快吸收。也許是因為已經對韓文有了經驗，而且接觸了很多書籍，對於英語這個外國語言，他單純認為這只是另一種新的體驗。

因為是用童話書來學習英語，如果在其他書籍裡出現自己知道的單字時，他就會背誦之前閱讀過的書籍，並做比較，享受其中的樂趣。

很多媽媽們可能為了發音的問題，而不敢唸英文書籍給孩子聽，但是，妳只要想，就好像如果用方言唸書籍給孩子聽，孩子就會學習到方言一般，發音不好也沒

有關係，因為孩子不會英語並不是因為發音不好，而是因為不知道要說什麼、要怎麼說而已。

所以，比起發音，首先要告訴孩子英語是什麼、是種什麼樣的語言。

我自己長期學習外語的過程中，經歷過無數的困難，而且也在數不清的補習班裡學習過，不過卻一點用途也沒有。我為了不想讓孩子們經歷我曾經歷過的錯誤，因此，直到今天，我依然為孩子唸童話書來教他們學習英語。

在圖書館用童話教導孩子學習數學

在圖書館裡，我偶然為時煥閱讀過「不想到黑板前面去」這本書，在為孩子閱讀的過程中，我心想這怎麼好像是在寫我的故事而失笑，然後把我的經驗一併告訴了孩子。

很多媽媽們可能和我一樣不喜歡數學，也因為對數學沒有信心，所以有關數學方面的教育，我全部交給理科畢業的孩子們的爸爸。不過，看了這本書之後，我決

定要改變我的想法。

我想告訴孩子們，數學並不是單純只象徵著數字，而是一個原理。我不喜歡數學的原因，就是因為被那個數字強迫觀念壓迫所致，我不希望把這種數字的強迫觀念留傳給我的孩子們，因此我找尋數學童話來協助解決。

當我搜尋有關數學童話書時，出現了八十多本相關書籍，而查詢有關數學的書籍時，則出現了一百五十多本。

我從幼兒用叢書到數學圖畫童話，一本一本閱讀給時煥和珍兒聽，結果有一天，奶奶對時煥說：「時煥，去拿三、四個橘子來吃吧！」時煥卻拿了七個橘子來。

當我們問他為什麼拿了七個時，時煥回答：「不是說三、四個嗎？三個加四個是七個呀！」

一個剛剛才學會數到十的時煥，不知不覺中，已經超越了數字的概念，開始會加法，這讓我感到非常驚訝。從此之後，我就到很多圖書館去搜尋有關數學童話以及數學方面的書籍，閱讀給孩子們聽。

數學童話的優點並不止於數學而已，還可以學習空間與圖形的感覺，在猜謎遊

戲、鑽石遊戲等遊戲方面也會變得非常出眾。

就算到一個不熟悉的地方去，也會像書中所說的一樣，找一個建築物或明顯的指標為基準，然後環顧四周。如果看到類似的地方時，就會說「這裡好像之前有來過」、「上次有看到那邊那個建築物」等等，甚至可以明確的認出周邊的環境。

透過數學童話，不只學習數字，也可以學習到數學概念，並馬上活用至日常生活中。

所以，時煥是透過童話書，自然而然的熟悉了數學世界，但，珍兒的情況則不是如此。

在巴黎讀到國小二年級的珍兒，在學習數學方面，並沒有感到困難。但回到韓國之後，她對於突然間跳躍了好幾個階段的數學課程感到慌亂困惑。

其實，在法國，國小二年級的數學，只是單純學習加法與減法。但回國之後，突然間要背九九乘法，令她感到相當恐慌。

而且，學校的數學考試不僅數字是個問題，對於韓文尚未熟練的珍兒來說，她根本從頭到尾都看不懂題目。

我擔心她會步上我的後塵，因此，我忽視了所有階段，讓她與時煥一起從童話

書開始學習數學。

當閱讀完「數學的詛咒」、「來自火星的數學探險隊」、「飛到外太空的數學」等書籍後，珍兒認為數學也是一種故事，於是我買了一本數學習作給她。

我有些擔心珍兒會不會接受這本習作，不過，事情比想像中順利，這證明我的做法是正確的。透過閱讀書籍不但讓她瞭解數學的原理，也讓她開始對數學有了興趣。

現在，她正在閱讀德國哲學家安森柏格的「數學幽靈」，雖然那本書還蠻厚重的，不過她依然看得津津有味，並對我說：「我也夢見過數學幽靈，真的好恐怖哦！」

透過數學童話，讓我瞭解到，學習數學也是一種思考力的訓練。在尋求答案的過程中，不僅是增加了思考力，也學習到邏輯。

對於認為數學很困難的孩子，不應該一直買難懂的數學習作讓他不斷的解題，而是要馬上帶到圖書館去，為孩子閱讀有關數學的有趣童話書。

在書籍裡，孩子會找到數學的原理，而且孩子們會發現原來數學是這麼有趣。

當孩子感到數學有趣時，再也不會認為數學是很困難的或是很討厭的科目，只

會認為它是世界上最有趣的科目。

我從未強迫時煥和珍兒要把整本的數學習作寫完，但是我的孩子們絕對不會畏懼或討厭數學，而且變成一個不管碰到多難的題目，還是會抱著興趣努力尋求答案的孩子。

我們要明白，學習數學的祕訣就在圖書館裡。

不要同時帶兩個孩子一起到圖書館去

最好不要同時帶兩個孩子一起到圖書館去。因為，如果兩個孩子各自坐在旁邊，媽媽坐在中間為他們閱讀童話書時，年紀較小的那一個孩子就會東動動西摸摸，感到無聊。

要是把老二抱在膝蓋上，然後為老大閱讀書籍時，坐在一旁的老大會嘟著嘴，心不甘情不願的聽，或是馬上向媽媽提出抗議。

我們應該用週期來區分，輪流為孩子閱讀書籍。就算孩子可能還不瞭解規則，

還是要時常提醒他，相對的孩子也會快速學習。

如果周圍有可以協助的朋友或鄰居時，也可以相互替代為對方的孩子閱讀，或者也可以善用伴讀老師。

以我們家的情況為例，我的兩個孩子年齡相差五歲，我為了幫助珍兒適應學校生活，所以先抱著她，集中式的為她閱讀韓國童話書。而時煥我則是利用網路廣告，聘請大學生來為他閱讀書籍。

幾個月之後，當珍兒閱讀的程度可以上軌道時，我開始讓她為時煥閱讀書籍，並和她約定好，每閱讀一個小時，付她一千元（約台幣三十三元）。

珍兒為了打發時間，心不在焉的為弟弟閱讀，結果時煥反應他不要姊姊為他閱讀，只喜歡媽媽或是老師幫他讀書。

所以，我對珍兒說：「弟弟是妳的客戶耶，妳為弟弟閱讀，然後拿到等值的報酬當零用錢，如果妳以打發時間的態度閱讀，客戶就再也不會請妳幫他做事。如此一來，妳該如何賺取自己的零用錢？」

我給珍兒一段時間思考，結果珍兒回答我說：「知道了，從現在開始我會好好做！時煥，和姊姊一起看書吧！」

從此之後，珍兒不但會把弟弟抱在自己的膝蓋上，為弟弟閱讀，還會寫下書名、出版社、作者、喜好度等簡單的記錄，兩人之間的感情也越來越好。

而珍兒在為弟弟閱讀的過程中，也會注入情感來閱讀，閱讀能力變得越來越好，且因為可以看到一些自己之前沒看過的童話書，而感到開心不已。

有些專家認為，父母不要交代子女們要互相照顧對方，而且也不要用金錢來解決事情。大體而言，我是認同這樣的說法。不過，任何理論只要可以洞悉孩子的性向後去善加利用，相信一定會有好的結果。

挑一個主題，並用又廣又深的角度去閱讀

很多媽媽們希望自己的孩子可以閱讀很多書籍，因此會購買各個出版社所出版的傳說童話、創作童話、科學童話等系列書籍給孩子閱讀。

不過，孩子默默的閱讀很多書籍，並不代表孩子就可以有深度的理解其中的內容，也不代表其分析力以及閱讀能力上了軌道。

但是，如果閱讀的環境是圖書館時，情況就會有所不同，這就是圖書館的另一個魅力。

在圖書館裡，可以讓孩子的閱讀能力變得更有深度，好奇心也會變得廣泛。怎麼做呢？就是利用關鍵字來達成。

當給孩子閱讀書籍時，一定會出現孩子們有興趣的領域，如果仔細觀察孩子格外喜歡的領域時，就可以發現其原因。

舉例來說，一個四歲的男童對車子有興趣，就讓他玩車子的種類、形狀的遊戲，讓孩子熟悉車子，然後從關於車子的一些簡單書籍開始依序為孩子閱讀，孩子對車子的理解也會逐漸擴張。

當閱讀完所有有關車子的叢書之後，再進入可搭乘的交通工具的階段，例如火車、飛機、船等，依序找尋之後閱讀，再接下來是有關機械的東西，瞭解之後自然就會知道車子是屬於技術科學領域裡的機械類，而且也是列在可搭乘的類別裡。

如果對恐龍有興趣時，就把所有與恐龍相關的書籍拿出來給孩子看。

例如，我給對恐龍非常有興趣的時煥，看一些適用於國小、國中生，甚至是大人們的有關恐龍的書籍。

而以階段性的方法來閱讀同一主題的書籍時，經常會出現一些重複的內容，有的也會加以細分，因此，孩子自然而然就會主動的分類，還會知道草食及肉食的恐龍的特徵、名稱，甚至生長背景等。

接下來再給孩子看有關爬蟲類的化石，或史前時代相關的書籍，再經由原始時代來到人類，孩子自然就會瞭解人類的變遷史與地球的歷史。

像這種閱讀方式，不單單只限定在科學類叢書方面。在童話書籍裡，如果喜歡「公主」這個主題，就從大家耳熟能詳的「白雪公主」、「灰姑娘」、「姆指公主」，到「長髮公主」以及「紙袋公主」等，可以多樣化的為孩子閱讀，然後比較東方與西方的公主有什麼差別，或為孩子閱讀有著公主與女侍概念的傳說童話故事。

不久之前，珍兒看了在國小生之間竄紅的「用漫畫書看希臘羅馬神話」之後，我讓她接著看童話，從希臘羅馬神話到英雄神話、女神的故事，接下來是埃及神話、中國神話等，讓她閱讀很多國家的神話故事，結果她透過各國的神話去瞭解那個國家，目前，她正在閱讀以世界史為主的相關書籍。

由此可知，我們要隨時檢視孩子所關心的事物，在孩子關心的時期，提供有著

無限書籍的環境，才能使孩子的好奇心與思考無限的擴展。

讓孩子細分作家別來閱讀

如果我們經常帶孩子到圖書館去，孩子們很快就會發現，書籍是依作者的順序排列而成。

以韓國的幼兒叢書為例，幾乎有百分之八十的書籍是翻譯外國叢書，因此，根據不同譯者，其意義多少也有所不同。所以，除非是原著，否則依作者別來閱讀，不能說是一件有益的事。

不過，到了國小時，情況就不同了。

由於國小生用的書籍中，創作圖書佔的比例非常高，翻譯類的書籍反而較少。更何況國內著名作家的作品，在圖書館裡佔有非常大的比重，因此很容易找到。

可是，父母不要因為孩子是國小生，所以，從一開始就要孩子以作家別來閱讀，最好是先讓孩子閱讀很多書籍之後，如果有發現喜歡的書籍時，就注意是哪一

位作者所著。接著，在圖書館網站首頁的搜尋欄打上作者的姓名，並限定於兒童青少年室裡的資料來搜尋，就會出現在兒童室裡那位作者的所有著作。

先查詢自己喜歡的作者的著作，就更容易接近自己想要看的書一步。

舉例來說，孩子看了「狗狗便便」那本書後感到有趣時，就從百科辭典裡找尋那位作者的資料。

雖然尚未閱讀那位作者的其他作品，不過，因為已透過百科辭典大略瞭解到那位作者的一生，就會對書中所出現的主角有一種不一樣的疼惜，然後再到圖書館找尋喜歡的書籍來閱讀。

當孩子從這些書籍中選出自己想要看的書籍，並閱讀完畢後，再到圖書館網站首頁透過綜合查詢，搜尋其他圖書館裡的資料，然後再找尋新的書籍來閱讀，可以帶給孩子成就感與信心。

在孩子以這種方式，將一位作家的作品看得廣泛且深厚時，就自然而然的會洞悉作家的特徵。

舉例來說，時煥看完「狗狗便便」之後，又看了「臭鼬又穿了補丁褲」，而珍兒則在看了「阿痣的家」、「夢實姊姊」之後說：「媽媽，權正生先生每天都在

講鄉下的事和家鄉的事，我想他可能沒在大都市住過，再加上他是生在日本，才會這樣。而且，他的書中每次都會出現一些可憐的人，是因為他以前生活的像乞丐嗎？」

然後，過了一陣子，珍兒又把之前閱讀過的書籍重新閱讀後，便要我像「臭鼬又穿了補丁褲的故事」一樣，幫她縫補褲子；又問，如果像夢實姊姊一樣遇到戰爭，該怎麼辦；還有阿痣的家——滿洲是在哪裡等，好奇的事情越來越多。

此時，在我的能力範圍之內，我都會為孩子們說明，如果有不知道的部分，就一起用我們的方式尋求答案。

「珍兒，一個作者和作品，就好像爸爸、媽媽和珍兒、時煥一樣，不認識我們的人，只要看到珍兒與時煥玩耍的樣子、看書的樣子、微笑的臉龐時，就可以猜出爸爸和媽媽的樣子，這是因為我們是一家人，所以長得很像。

同理可證，只要看很多權正生先生所寫的書，就等於可以看到作家的樣子，因為書就等於是人的樣子啊！」

一個作家從一本書開始，最後讓我們認識作家的全部，而透過那位作家的作品，瞭解這個世界，培養孩子的洞察力，就是細分作家別閱讀後，所附帶的禮物。

晚餐後的三十分鐘，為家人閱讀

記得我曾經看過針對日本的某個國小所實施的，每天早上閱讀二十分鐘書籍的研究報告，這項報告告訴了我善用短暫時間有多重要。

讓人驚訝的是，比起閱讀一個小時或兩個小時，每天閱讀同一本書籍二十分鐘，不僅對書籍內容的瞭解會更深入，甚至對書籍的興趣也會提升。

看著這項報告的同時，我想起高中時期，每天早自習時，利用十分鐘考十題測驗題，結果，不可思議的是，一個月所考的分量，與寫了一學期習作的分量不分上下。

我想，也許使用這種短暫閱讀法會更具效果，因此，我就讓全家人嘗試這種方式。利用晚餐後的三十分鐘，讓兩個孩子閱讀書籍，時煥閱讀十五分鐘，珍兒閱讀十五分鐘。

為了要順便熟練閱讀能力，時煥選擇了較簡單容易的書籍，珍兒選擇短篇小

說，孩子的爸爸與我則是專心的聆聽，聽完之後，再和孩子一起討論與書籍相關的話題。

像這樣利用短暫時間閱讀，不但能讓孩子擁有信心，全家人也有著一段共有的記憶。

而且，每天的這三十分鐘，讓我們全家人可以少看電視，又看了很多的書籍，更是一舉兩得。

三十分鐘是很容易就可以浪費掉的短暫時間，但我讓孩子們把它用來學習，也藉此培養時間觀念。

而且，每天三十分鐘，一點一滴的累積下來，就成為可觀的時間。

因此，想要讓孩子知道時間的珍貴，全家人一起進行短暫閱讀，是最好不過的妙方，您不妨馬上嘗試看看。

第4章

百分百善用圖書館的方法

幼年時期接觸多樣文化的孩子，其未來的人生變得較豐富的可能性極大。圖書館裡會舉辦諸多文化活動，父母可以不需要花昂貴的費用帶孩子去看表演，只要把孩子帶到圖書館，就可以讓孩子們大開眼界。

百分百善用圖書館的方法

接近圖書館的管理員

如果問利用圖書館的孩子們，圖書館員是做什麼樣工作的人時，他們會回答：「是整理書籍，辦理書籍借閱的人。」

這是多麼可悲的現實。

基本上，我認為圖書館員並不是任何人都可以勝任的，甚至可用「上天派下來的人」來形容，是擁有高度專業的人。

他們透過書籍、透過圖書館，引導每個人的人生，因此，身為使用者的我們，要多鼓勵圖書館員，讓他們可以去執行自己的責任與任務。

在法國時，有一位和我一起進修博士班課程的晚輩，說過這樣的話：

「真不瞭解為什麼圖書館員們都對妳這麼好？告訴我，是不是有什麼樣的祕訣？」

「祕訣？這個嘛，大概是因為我和圖書館有很多的緣分吧！」

留學初期，我在各圖書館穿梭，翻遍了圖書館的每一個角落，才結識了一位圖書館員，在向他諮詢過後，我得知了巴黎美術界的情形和書籍出版的近況，那在我的學業上給了我很多的幫助。

不僅如此，上了博士課程以後，因為首次定的論文主題卻因為被指導教授打了回票，我便在參考資料室徘徊，而法國的聖傑尼耶夫（Sainte-Genevieve）圖書館顧問室的圖書館員，給了我一本資料，讓我找到了門路，決定了論文的主題。

而每天早上八點四十分，在萬神殿（Pantheon）搭89路的公車上，互相用眼神打招呼進而結識的密特朗（Mitterrand）圖書館的館員，則讓我從此以後有了可以隨時讀到十八世紀高級資料的幸運。

此外，在奧塞（Musee d'Orsay）美術館工作時，多虧協助我將偶爾在古文書圖書館Intax室找出來的資料，安全帶出去的館員，使得我可以從美術館資料室升遷

到企劃室。同時，在試用期結束之前，讓我幸運的擁有可以升為正式職員的機會。

說到此處，我腦海裡浮現很多館員的面孔，因為有他們，才會有今天的我。

我信任圖書館員，並願意接受他們的幫助的原因很簡單。因為圖書館員是書籍和資料的專家，就算我再怎麼會找，也絕對比不上圖書館員。

你只要走到圖書館員旁邊，用懇切的語氣告訴他：「我的孩子對科學有興趣，請問要推薦他什麼書會比較好呢？」或「我沒有看過很多書，請問要從哪種書開始看，才可以順利的進行閱讀呢？」相信你的問題一定可以獲得圓滿的解決。

最近，韓國公立圖書館中，也有對讀書治療、問題兒童的諮詢頗有研究的館員，所以，如果家中有對閱讀感到困難的小朋友，請不要猶豫，將他們帶到圖書館去。

如果館員本身無法做諮詢治療時，他一定會告訴家長附近有哪些諮詢處，可以提供完整的服務。

我們家的孩子稱館員為「圖書館阿姨」，稱圖書館為「我的圖書館」，因此，我也跟著他們喊圖書館員為阿姨。

記得剛開始帶著時煥去圖書館的那一段時間，有一位館員看著每天到圖書館報

到的時煥，就特別的留意並觀察他的改變，往後，每當我們進入圖書館時，她就會叫著時煥的名字，就算在遠處看到他，也會跑過來給予擁抱。

也多虧那位館員，讓時煥很快就能適應陌生的圖書館。尤其當時煥在龐大的書堆中猶豫，不知道要看什麼書時，館員親切的介紹一本書，就讓時煥一頭埋進書中世界裡。

偶爾，我和珍兒玩「找書遊戲」，我就會叫她找圖書館裡有關達文西（Leonardo da Vinci）畫的書籍，或是有關三國時代的書籍；如果因為數學問題而傷腦筋時，我就要她找有關測量的書籍等等，藉由這樣的遊戲，讓孩子的腦部得到休息。

當珍兒真的找不到這些書時，就會藉助館員阿姨的幫忙。不只找尋資訊情報是如此，在圖書館遇到困難時，館員阿姨同樣也扮演著很重要的角色。

有一次，珍兒獨自去圖書館看書，一直到圖書館關館時間已過，卻還沒回家。我正為此擔心時，兒童室的館員阿姨打來一通電話，告訴我珍兒因為遺失了錢包在哭，讓我不再擔心，趕緊去接她回家。

因為有館員阿姨，我可以很安心的把孩子送到圖書館去，也和孩子一起在圖書館盡情的享受。

圖書館員可以說是我們孩子的圖書館阿姨兼老師，當你在圖書館這麼大的世界裡徘徊或迷失了路時，他們可以引導我們走上正確的路，同時開啟人生展新的世界。

享受圖書館的文化

世界上真的有許多事物值得我們去享有，書籍就是其中一項，同樣重要的還有文化和藝術。

幼年時期就接觸到多元文化的孩子，未來的人生會過得比較豐富。因此，圖書館舉辦的諸多文化項目，不需要花昂貴的費用，就可以讓孩子們大開眼界，實在值得我們參與。

每個月，我們家都不會忘了去查詢圖書館的「電影放映時間表」，因為，圖書

館每週都會放映多樣化的影片，對於一個平時想去電影院卻有困難的婦女而言，是非常好的機會。

更何況圖書館會針對不同的年齡層，播放多元化的影片，若是播放家庭戲劇時，就可以全家一同觀賞。

當然，也會有兒童喜歡的項目，例如：布偶劇。所以，只要布偶劇的公告一貼出來，珍兒和時煥為了看布偶劇，就會自己調整時間，把當天該閱讀的書先看完。

而且，只要有布偶劇公演的那一天，我就可以享受另一種自由時間。當孩子們看公演時，我就會在參考室閱讀想看的雜誌，或查閱國會圖書館的論文。

另外，韓國國立中央圖書館為了圖書館的使用者，提供欣賞古典音樂的機會，每月舉行一次「歐洲．亞洲 Chamber Fell Harmony Orchestra 演奏會」。

絕對不要有著因為是在圖書館舉辦的，所以水準一定很差的先入為主觀念，為了協助一般人對古典音樂的瞭解，指揮者金蘭鳥老師一定會向觀眾解說，這反而比花大筆錢去看音樂還要受益良多。

我特別感謝中央圖書館能安排這樣的機會，也因此每回必到，從不缺席，我的孩子們也是一樣的喜歡。

因為金蘭烏先生對曲子的解說簡單易懂，孩子們很容易就會跟著墜入音樂的世界裡，甚至能把古典音樂像童謠一樣哼唱，讓我再次深深的感謝圖書館給予我們的恩惠。

不只是中央圖書館如此，大部分的公立圖書館每個月也都會安排多元化的音樂會、美術、電影等活動，所以只要進入圖書館網站確認日期，並且記錄在月曆上，就可以很方便的利用。

新文化現象——圖書館聚會

韓國的媽媽們平常都很忙碌，舉凡家裡的瑣事、孩子的事、朋友聚會……等等，每天行程都排得滿滿的，近來，更多了一個圖書館聚會，讓媽媽們找回生命的活力。

圖書館聚會大體上分為兩大分類，一個是孩子的閱讀聚會，另一個是媽媽本身的聚會。

一般而言，公立圖書館是以國小生為對象成立讀書會，每週有讀書和分享的時間；以主婦們為對象的大多是屬於義工和研究童話的聚會。

比起市立或國立圖書館的聚會情況，地區小型兒童圖書館的活動更為活躍。當然，除此之外，大大小小的綜合福祉館內，以兒童圖書館為中心，也有許多的童話聚會，所以只要找找看，一定會有很多值得大家參加的聚會。

在聚會中，為了新刊圖書的選定和推薦圖書的選定，媽媽們會比孩子先閱讀，然後在閱讀給孩子聽的過程中，觀察孩子們的反應，同時也協助圖書館的運作。

以孩子的年齡區分並量身訂作的組職聚會，則提供新手媽媽們諮詢育兒問題，也可以交換孩子們的學習指導或體驗學習等經驗。

不久前，我在松波區的一處社會福祉館內，以「喜愛童話的聚會」的會員為對象，將圖書館館員義工教育和圖書館教育法分三梯次為大家上課，那是比任何一次聚會都熱情且融洽的聚會，讓我在毫無倦意的情況下，完成了三個星期的課程。

老實說，雖然在課堂上講課的人是我，卻反而讓我學習了更多。媽媽們的熱情參與，更讓我看到了圖書館教育的光明未來，給我很大的鼓舞力量。

像這樣從圖書館聚會逐漸擴張，進入家庭，再由家庭傳遞給鄰居，在打造更寬

廣的區域共同體方面，扮演著一個重要的環節。

當這種圖書館聚會愈活躍，圖書館就會更加發展，相對的，圖書館教育也會更為完善。

善用各國駐外文化中心圖書館

當大家想暫時脫離一成不變的生活時，建議大家去一趟各國的駐外文化中心圖書館，到那裡不但可以享受具有特色的圖書館文化，也可以盡情感受到異國情懷，間接體驗不同的生活風俗。

而且，只要加入年度會員，就可以使用院內的各種設備，也可以租借CD、DVD或書籍，還可以和當地人直接交流，我們不妨好好利用一番。

A．法國文化中心

對主修法文的我而言，法國文化中心在我心中佔有一個特別的地位。記得大學

時期，在逛完了景福宮和國立中央圖書館後，往後門走出去，就可以到達法國文化中心。

在那裡不但可以感受到法國的情趣，而且可以同時體驗兩種文化。可惜現在法國文化中心已經遷移到市中心的法國大使館附近，雖然多少有一點遺憾，不過，現在的法國文化中心卻多了和以往不同的現代氣氛，因此我還是常常會去。

在那裡，我可以觀賞法國影片，還可以在咖啡廳旁邊的露台品嘗首爾版的道地巴黎咖啡味兒，體會一下不一樣的悠閒。

此外，法國文化中心還會舉辦以兒童為對象的閱讀童話書聚會、法語會話同好會、法國影片會、法國歌曲會、讀書會等聚會，還有定期的美術展覽，如果計畫全家人一起外出，不妨到那裡走走，一定可以擁有多樣化的體驗。

B．德國文化中心

到了夏天，我一定會去的地方，就是德國文化中心，因為它位處南山附近，擁有茂密的樹蔭，正適合避暑，周邊還有南山圖書館、龍山圖書館、野外植物園，可

以順便逛一逛。

雖然我對德文一竅不通，可是因為那裡氣氛很好，所以每到夏天，我就會帶著孩子到那裡去。

和其他文化中心一樣，這裡也提供語言學習和影片欣賞，而且，小型音樂會演出也很頻繁。

此外，在院內遇見的德國人，常常用Body-Language逗得孩子們開心的笑成一片，這也是只有在外國文化中心才能嘗試到的特別經驗。

C．日本文化中心

感覺遙遠卻又很近的國家日本的駐韓大使館公保文化中心，也是我常去的地方。在這裡我可以看到最新的Video，可以欣賞音樂、時尚、影片、展覽，還可以沒有壓力，輕鬆地翻閱多樣的雜誌。

D．英國文化中心

近來，兒童英語教育引起熱潮，如果父母認為一般圖書館內的英文書籍不足，

可以考慮英國文化中心。

英國文化中心中有學習英文必要的圖書文庫、多媒體資料、專給小朋友看的故事書、英國現代藝術、最新科學、有關音樂的圖書和DVD雜誌、報紙等，到處可見到豐富的資料，還可以利用電腦上網檢視英國的圖書館，看到英國圖書館的文化。

所以，父母可以選擇不要把孩子送往英語補習班，讓孩子和父母一起手牽手去英國文化中心，在那裡和英國人接觸，並熟悉英國圖書館的文化，如此一來，孩子自然會對英語產生好奇心，也許就會燃起要學英語的慾望。

E・中國文化中心

最近設立的駐韓中國文化中心，在景福宮站和私立兒童圖書館附近，若只有一天的行程，可以順便繞到私立兒童圖書館去比較一下中國和韓國文化，那裡廣闊的空間加上最新的設備，可為孩子帶來不同的感受。

中國文化中心每逢週五會放映免費影片，如果事先確認文化中心的節目表後再去，可以有各種不同的體驗。

和孩子一起觀賞中國電影很有意思，不過，更有趣的是看孩子們神奇的把中國

語、日本語、法語、英語等等不同的音韻和聲調記了下來，再去想盡辦法理解之後感到歡喜的那一面。

F・其他

除此之外，如果對猶太人的教育方法很感興趣的人，可以去時常舉辦猶太人教育座談會的以色列文化中心。

想要接觸阿拉伯文化的人，可以參訪阿拉伯文化中心，就會有不同的體驗。

除此之外，只要主動查詢一下，就會發現還有義大利文化中心、中南美文化中心……等等，可以接觸多樣民族文化的外國文化中心的確不少。

善用伴讀老師

提到「Booksitter」，很多人都會覺得陌生，簡單說明，就是會唸書的Babysitter。我第一次聽到這個名詞，是在法國留學時。

當時，因為法國的幼稚園每週有四天的全天課程（早上八點二十到下午四點二十），星期三則是上到中午十二點二十，所以，珍兒的時間和我進修博士班的時間根本無法配合。而且，當我在美術館工作時，更是無法和小孩子共度。

就在此時，學校介紹了一位Booksitter給我，讓我可以好好安排自己和孩子的時間。

因為我所居住的第五區附近，就有五個公立圖書館，每一個圖書館裡都設有嬰兒室，所以，當珍兒沒有課或是提早放學時，我就會聘僱Booksitter帶珍兒到附近的圖書館，閱讀書籍給她聽，順便進行思考力的學習。

有了Booksitter之後，我順利的完成學業，也如願的找到了工作養育孩子。

回到韓國以後，我也曾用網路找過Booksitter，不過，可能是韓國目前尚未有這方面的服務，我只好留下徵人的廣告。

後來，有一名學生看了廣告後，和我聯絡上，於是，當我要帶珍兒去聽韓語課時，就將時煥交給這位Booksitter，並且要求她按照我指示的方法，閱讀韓文童話書給時煥聽。

因為這名學生是第一次接觸這種工作，所以，剛開始時，曾經經歷過許多錯

誤，我只好不斷地指導這個韓國的Booksitter，當不需要去大學授聽課業時，我就會和Booksitter一起唸書給孩子聽。

和Booksitter一起絞盡腦汁地為孩子的圖書館教育下工夫沒多久，圖書館的館員看著我們整天拿著書為孩子閱讀，就會感到奇怪地問：「一定要那麼做嗎？」、「那麼做會有效嗎？」等問題。

過沒幾個月，我和Booksitter一起進行的圖書館教育有了很大的成果。珍兒和時煥的聽力、閱讀，以及對話都有了很明顯的進步。

有鑑於此，我從為了我的孩子而開始的Booksitter教育，轉而為了像我一樣的職業婦女、因為孩子多而無法同時唸書給孩子聽的媽媽，或是因為某種因素患了閱讀障礙的小朋友而從事Booksitter教育。

現在走入社會的女性不斷增加，但要找一個可靠又能安心委託孩子的教育單位，幾乎沒有。

在這種情況下，我們不應該把孩子送進托兒所玩耍，而是讓Booksitter以一對一的方式在圖書館為孩子閱讀、一起聊天或溝通觀念，這才是因職業因素而無法直接育兒的職業媽媽們所迫切需要的。

職業媽媽們雖然知道閱讀的重要性，也知道圖書館教育的重要性，但因為沒有時間或疲倦而無法去執行，如果國家能夠為職業媽媽建立Booksitter的服務機制，相信未來的教育一定會更上一層樓。

享受免費的公演

我對我的孩子們有兩個期望，一是希望他們有自己的想法，二是希望他們懂得享受世界。為了讓他們成為有想法的孩子，我讓他們閱讀書籍；而要讓他們懂得享受世界，就得藉助文化和藝術。

剛開始，為了讓孩子接受文化和藝術的陶冶，我花了不少錢。不過，後來我在巴黎意外的發現不少免費的公演，讓我省下了很多錢。

從此以後，我都會仔細查看綜合藝術會館或是藝術殿堂的節目表，也常常發現有名為「招待」的免費公演。

只要有我想看的公演，我就會事先打電話向主辦單位索取招待券，但也有些公

演會在開演的三十分前，在入口處發送招待券。

雖然那些都不是世界著名的公演，但是以我和孩子們的程度，那些就足夠了。

再者，去參加新手們的公演，不但可以增加公演的熱鬧度，給予那些努力演奏的新手們最熱烈的掌聲，也可能會造就未來的偉大演奏家，豈不更有意義？

有時，湊巧發現演奏中有一點失誤，我就會和孩子一起討論，這讓我體認到不論是好的公演或不好的公演，對孩子都有益處。

此外，市立音樂廳、市立舞蹈團、市立國樂院也會定期舉辦公演，和孩子們一起去觀賞時，就可以感覺到老手和新手之間的差異。

我們周遭有太多可以享受的免費公演，張大眼睛找找看吧！如果找到了，就帶著孩子去瞧瞧，相信一定會帶給孩子一個完全不同的體驗。

透過圖書館佈告欄可以認識名人

不要忽略了圖書館的佈告欄。張貼在佈告欄上面的一張張海報，也可能會為孩

子們開啟知識的寶庫。

韓國文化觀光部為了培養國人的自我肯定心，自一九九〇年開始，每月都會選出在文化歷史上有偉大貢獻的人物為「本月的文化人物」，並舉辦相關展覽和學術研討會，民眾只要稍微關心一下，就會得到不同的收穫。

記得我們家人是從時煥剛剛會認字的時候，開始關心文化人物。

那一次是因為想吃點心，所以我們走往圖書館的休息室，湊巧看到張貼在樓梯口處的海報，時煥對我說：「媽媽，這位叔叔是張旭真！」

對於主修美術史的我而言，當然對張旭真非常熟悉，於是我說：「哦，我們來看看。」於是，我和時煥停下腳步觀看。

海報上面簡單的寫著張旭真的生平、成就，以及紀念活動或企畫公告。就在那一剎那，我想到了一個很好的點子，可以解決我「如何閱讀偉人傳給時煥聽」的問題。

從那天起，我就在圖書館查詢有關張旭真的書籍和圖畫，發現一本「像鳥一樣想飛翔的張旭真」被列為國小四年級推薦圖書的書籍，我立刻找來唸給時煥聽。

因為書裡也刊載著張旭真的繪畫作品，因此閱讀起來並不困難，我甚至還把海

報裡的相關紀念活動，也簡單的記錄在「圖書館筆記」裡。第二天，我就馬上帶著孩子到「畫廊現代」去看張旭真的紀念回顧展。

圖書館佈告欄的海報，讓我有機會教孩子從書籍中得知名人的生平，並透過展覽會更進一步的去接近、去感受，如此一來，不僅可以增進孩子的文化常識，也讓他們對這些名人多了一份認識與愛慕。

圖書館真可說是一個無窮無盡的寶物倉庫！

成立圖書館借貸文庫

每個喜歡書的人，一定都希望自己的家像圖書館一樣，有一個藏書豐富的書房，我也不例外。

所以，我利用圖書館的書，做一個獨一無二的「我家圖書館借貸文庫」。這個借貸文庫既不需要另外分類，也不需要為整理書籍而傷腦筋，只要按照圖書館的排列順序放置就可以了。

首先，我在全家人聚集的客廳準備一張小桌子，然後，檢視一下家族成員所關心的事，因為剛開始從全家人共同關心的事做起比較好。在確立全家人共同關心的事之後，再檢視這一個星期之內要讀的書籍。

我們全家人決定把孩子們心醉的「希臘羅馬神話」，當成全家人共同關心的主題，便開始挑選書籍。

珍兒挑了一本青少年閱讀的「希臘羅馬神話」，時煥則挑了一本兒童閱讀的「希臘羅馬神話」，爸爸挑了一本湯姆斯・布爾芬齊（Thomas Bulfinch）著、李潤基譯的「希臘羅馬神話」，我則挑了一本有關「希臘羅馬神話」的美術書籍。

因為一個人可以借五本書籍，所以如果還有其他想看的書，就各自再借。

我們把借出來的書籍依家人的年齡排列整理，最左邊是爸爸借的書籍，再來是媽媽、珍兒、時煥，這樣我們一次就可以看到有著滿滿二十本書籍的借貸文庫了。

利用借貸文庫的方式看書，父母自然的會注意到孩子在看什麼書，而孩子們也會很容易去關心父母親看的書籍。

而且，把家人借來的書籍都放在一起，也可以避免忘記歸還。

此外，這種方式不但讓全家人可以每星期更換不同的書籍，還可以由淺入深地

閱讀，更不需要因為孩子逐漸長大而擴大書房的坪數及藏書量，以拓展孩子的興趣，可說是一舉數得喔！

前往國會圖書館，讓孩子正確認識國會

在電視上，我們不時會看到說粗話或打架的國會議員。但是，我們不可以讓孩子們對這個民主主義社會最重要的議事決定機關，留下不良的印象。

為了讓孩子正確瞭解這個建立神聖的法規、有絕對決定權的國會的真面目，就要帶他們到國會圖書館。

一般的父母可能會以為，所謂的國會圖書館，是國會議員或是公務員才可以使用。其實，國會圖書館有開放給一般民眾使用，兒童室的設備也很完善，但是，從五歲到國小六年級的兒童都要有大人帶領，才可以進去，這是國會圖書館和一般公共圖書館不同之處。

而且，當民眾來到國會圖書館的正門口，就必須檢查身分證，再到圖書館入口

填寫有著姓名、身分證字號、電話號碼等個人基本資料的的閱覽申請書，然後到櫃檯出示身分證對照所填資料是否正確。

查證無誤之後，櫃檯人員就會發給你一條圖書館使用者證明項鍊和一張閱覽表，請你把項鍊掛在頸部，備妥需要用到的文具及閱覽表，其他不需要用到的物品則得放進保管箱。

雖然這些程序非常麻煩，但是進到國會圖書館以後，你會覺得這一切是值得的。

因為，裡頭不僅寬闊也很乾淨，一樓大廳還有為民眾準備的書桌和資訊檢索電腦。

而且，只要是大韓民國出版的書籍應有盡有，甚至碩博士論文、學術指南及世界各國的研究資料等等，在一般公共圖書館可能找不到的，這裡統統都有。

也因為國會圖書館絕大多數是成年人在利用，小朋友並不多見，所以一樓兒童室裡的書都是乾淨的，每當學校放假，我就會帶著孩子到國會圖書館，孩子們都會非常高興。

另外，國會圖書館中的論文室和資料室，和兒童室設在同一層樓，讓我不但可

以和孩子在一起，也可以找到自己想要的資料。

（註：韓國的國會圖書館等同於台灣的立法院國會圖書館。）

第5章

Q&A

Q：孩子讀完書以後，不喜歡畫畫。

妳好，我是一個四歲孩子的媽媽。我曾經嘗試要利用圖書館教育法教我的孩子閱讀，但是，當我看著封面的圖讀字時，孩子會催促我讀快一點，等我讀完了，叫孩子講給我聽時，他卻不高興的說：「不會。」我只好說：「那麼，把這一則故事畫下來好嗎？」孩子還是不願意，因為他本來就不太喜歡畫畫。

請問，我該如何有效的使用「圖書館筆記簿」呢？

A：請媽媽先畫一張圖。

通常，孩子催促媽媽讀快一點，是對熟悉事物的習慣反應。但是，當媽媽把書的內容急急讀完，又忽然試圖換一個方法教孩子時，孩子多少會感到驚慌。

請讓孩子感覺到書是要慢慢地去讀、去品味，才會更有趣的道理。看一張圖時，也要不斷地和孩子聊天，不要因為孩子的催促，就草草結束，應該要摸摸孩子的臉蛋、摟摟他，讓他知道讀書的好處。

另外，孩子並非是不喜歡畫，而是因為不知道要畫什麼，或是不知道要如何表達。所以，媽媽可以先告訴他畫畫並沒什麼，在紙上塗滿自己喜歡的顏色也是一幅畫，並記得問問孩子塗鴉時有什麼樣的想法，然後把答案記錄下來。

切記，孩子的學習都是有一定的過程的，媽媽要懂得掌握時機，循序漸進。畫圖時也一樣，不要讓孩子一個人畫圖，請媽媽先用彩色筆畫一個圓形或方形，然後再請孩子用不同的顏色畫圖形。

Q：在為孩子閱讀時，孩子無法專心，請問還要繼續讀下去嗎？

妳好，我的一對雙胞胎現在十五個月大了。在我閱讀書籍給他們聽時，他們卻會趁機對書籍又抓又撕，或含在嘴裡咬，讓我很難好好閱讀。

請問，這是不是因為我太快為他們閱讀書籍了呢？我該不該繼續讀下去？

A：孩子不專心，也請繼續讀下去。

十五個月大的孩子本來就會把書籍拿來咬或是吸，請不要太擔心。不過，請記得選擇用可以吸、可以咬的材質製成的乾淨書籍。

另外，不可以因為孩子不專心的坐著聽媽媽閱讀就放棄，因為這時期的孩子不是以內容去分析，而是用音調去感覺，所以，就算孩子到處走動，但只要是和媽媽處在同一個空間，就仍然在聽著媽媽的聲音。

請媽媽提高音調，繼續讀書給孩子聽吧！記得多用擬聲語、擬態語，或押韻、抖韻等方式，因為孩子對有韻律感的聲音反應會敏感，針對這一點，媽媽要多費心思去選擇書籍。

還有，這個時期，媽媽不應在意閱讀書籍的多寡，請把一本書反覆多讀幾遍給孩子聽吧！

Q：我的孩子比較關心別的孩子讀的書。

我的孩子以瑟在上一個主日（星期日）第一次到圖書館，他東翻翻、西找找後，選了一本名為「世界上最大的圖畫書」的書籍來看，而且還連續拿了三次。後來，他看見一個年約國小一年級的孩子在看書，就走過去跟他說了些話，接著，他就看了那孩子挑選的書。

請問，看到那樣的情形，我應該選擇不予理會，還是過去干涉比較好？

A：這是非常好的現象。

圖書館可以成為好的教育現場，其理由就是可以讓孩子因為別的孩子而增加好奇心。

您的孩子第一次到圖書館不會緊張，還會拿自己喜歡的童話故事來讀，並去觀察別人讀的是什麼，真是太好了。請您不要擔心，就讓他隨心所欲地展現好奇心吧！

不過，如果孩子把同樣的書拿來看三次，就幫他把那本書借出來，然後您再推

薦他別的書籍。

通常孩子們喜歡自己知道的書，所以第一次讀別的書可能會沒什麼反應，再讀一次就會喜歡了。所以，下一次您和孩子可以交替選書讀讀看。

Q：我的孩子閱讀書籍時，會提出很多問題。

您好，我是四歲女孩的媽媽，我常帶孩子去圖書館，孩子也不覺得去圖書館讀書有什麼困擾，就算是拿行數較多的書籍給她看，她也會集中精神好好讀下去。讀書給她聽的Booksitter也是這麼說。

可是，最近她看著書中圖畫裡的動物或是人的表情，就會問很多問題，回答她以後，翻到下一頁，她又會問一樣的問題，我只好引導她，並讀給她聽。

其實，我也不清楚孩子到底對自己的問題瞭解多少，每一次問她的時候，她只會講「不知道」。但是，我並不是問她書讀完以後到底理解多少，只是問書的好看程度和她最喜歡哪一類的書籍而已。

我想請問，當孩子對書的內容提出問題時，是應該翻到前一頁說明給她聽，讓她理解，還是重頭開始再讀一遍給她聽比較好？

另外，她還會把漫畫、繪本，甚至是國小學生程度行數較多的書也拿過來要我讀給她聽，請問我是否要讀？

A：在讀書的過程中，也翻閱百科辭典教導。

四歲正是好奇心旺盛的時期，孩子動不動就會問：「為什麼？」而這一句「為什麼」，正是開啟孩子智慧的最大鑰匙。

所以，當您不知道該如何回答孩子的問題時，可以中斷正在讀的書籍，把圖書館的兒童百科辭典翻開幫助她，如果孩子聽不懂，就找圖給她看，或是把百科辭典裡的說明讀給她聽。

為了回答孩子的好奇，在當下尋找答案的媽媽的模樣，對孩子本身就已經形成了學習效果，不要用「以後再說」去回答孩子。

再者，觀察力優越的孩子在問有關於圖畫書的問題時，您不需要再說明內容，可以問題來引導孩子想像，例如：舉一隻手是代表要問老師問題？還是打招呼？光是憑表情和動作，就可以展開無窮無盡的話題。

另外，孩子喜歡的書，哪怕有多長，也要讀給她聽。孩子的喜歡和好奇心是拉長讀書年齡的關鍵，不要抱著「這個她會理解嗎？」的假設心態，理解是其次，當下最重要的是先接觸，請您像現在一樣的進行。

Q：國小一年級的男孩很不喜歡讀書。

您好，我的姪子是國小一年級的男孩，他很不喜歡讀書，所以語文方面簡直是一塌糊塗，數學的計算題很棒，應用題的部分全部是錯的。

在看了老師您的書以後，我就把四歲的兒子第一次接觸的「蘋果掉下來」和「火車ㄅㄆㄇ」這兩本書籍拿來讀給他聽。

我先叫他看圖說明，然後我讀給他聽，再叫他讀讀看。可是，只要字多一點，他就很不喜歡讀。

請問，對於這樣從小不太接觸圖書的孩子，我該怎麼辦才好呢？

A：請從孩子喜歡的書籍類別開始引導閱讀。

這是對讀書尚未熟悉就進入國小的孩子，常常會出現的現象。

面對這樣的孩子，不要只顧著讀給他聽，採用和孩子輪流讀的方式會比較好。

這個時候，也別忘了拿孩子最喜歡的書籍，如果孩子喜歡看漫畫就拿漫畫也無妨，因為對書有嚴重拒絕傾向的孩子，用漫畫可以很容易就接近，但請先檢視漫畫的內

容。

另外，對閱讀尚未成熟的孩子，不要讓他練習聽寫或是寫讀書心得之類的報告，這樣將導致他離書籍愈來愈遠，請循序漸進，從讓孩子每天朗誦約二十分鐘的短句開始進行。

Q：喜歡閱讀，但是不會講述中間的經過。

我的大女兒現在就讀國小三年級，記得她一年級時，放學回到家，就會抱二十本童話書來讀，喜歡書籍的程度可見一斑。直到現在，她仍然是寫完作業後，就會用很幸福的表情拿書來讀。

但是，當她讀完後，我要她把能想到的內容大略說一次時，她就會很緊張的想了好一陣子，然後像默背一樣，把書中的一字一句唸出來，看起來似乎很累。所以，我就要她把妹妹的童話故事書拿來讀，再講出大概的內容，結果，她仍然是用默背的方式講述。

但是，當我為了使孩子能分析故事的經過，藉著「怎麼會那樣呢？主角心裡想著什麼呢？」的問題，讓她自己發現問題時，她很容易就能夠回答。

請問，這到底是怎麼回事？其他國小三年級的孩子也是這樣嗎？還是只有我的孩子是這樣？

A：請孩子為家人大聲的朗誦書籍。

其實，要孩子分析故事的流程再說出經過，是很不容易的，一定要到某種程度的熟練後才有可能，所以在說故事時，媽媽要多幫助孩子。

一般三年級的推薦圖書的內容不是很長，建議媽媽利用週末和孩子一起讀書，再將內容分成較短的段落，和孩子一起做整理，孩子馬上會變得熟練。

另外，可以試著將一本書分成幾段，讓孩子在每天晚餐後，為家人大聲朗誦一段，這樣一定會比自己讀的時候留下更多的記憶。

而且，因為每天讀一段，所以，第二天孩子便會再回想前一天的內容。這樣一來，讀書的效果會明顯變好。

每一次讀完以後，可以要孩子把今天讀過的內容大略說一遍，剛開始孩子或許會沒有頭緒，可是每天都讀同一本書，說了又說，到最後一天的時候，孩子就會記得最重要的部分。

如果國小三年級的推薦圖書孩子已經全部讀完，就讓她繼續讀高年級的圖書內容，剛開始孩子講述的內容或許會偏短，但切記不要讓孩子看到您失望的表情，要多鼓勵孩子，讓孩子變得愈來愈好。

Q：孩子堅持要自己閱讀。

我的女兒剛滿兩歲，已經養成上床睡覺之前和我一起看圖畫書的習慣，可是，最近要和她一起看書時，她有時會說：「媽媽，不要！」然後就奪下我手中的書籍，自己到角落去看，還邊看邊哼著歌。

想到上一次老師告訴我們，不要讓小孩子自己讀書，於是我會趕快過去跟她說：「美娜，媽媽也想看書，一起讀吧！」或「那麼媽媽不讀，美娜讀給媽媽聽好不好？」希望能說服她。

但美娜總是說完「走開」這句話，就轉過身背對著我坐下來，還是堅持要自己閱讀。

雖然不是每一次都會這樣，但一天鬧一兩次彆扭，還是讓我不知道該怎麼辦，請您給我建議好嗎？

A：這是因為孩子想要擁有自己的世界，不要太過擔心。

孩子有孩子的世界，所以，當美娜偶爾想要擁有自己的世界時，就請媽媽閱讀

自己想閱讀的書籍，不要去妨礙她。

等她向您靠過來時，記得別把她當成是孩子，要把她當作朋友，然後把您閱讀後的感想告訴她。當您這麼做的時候，孩子也會有慾望讓您看到她的世界。

Q：患有「注意力缺乏過動障礙症」的孩子，也可以參加圖書館教育嗎？

看完您所寫的書籍，我發現我為孩子做的實在太少了，因此感到非常自責。

我本身對書籍非常貪心，所以家中大約有一千五百本兒童圖書，我還接受了閱讀指導老師的培訓。

可是，我的孩子患有ADHD（注意力缺乏過動障礙症），不僅散漫且集中力薄弱，每一次我讀書給他聽時，他都會跑去做別的事，所以書讀到一半，我就會生氣的把書收起來。

此外，他學話學的很快，但卻被判定語言能力不足，到現在還不太會認字。

像這樣的孩子，我該怎麼做，才能讓他可以和書本靠近？

另外，這樣的孩子，也可以適用圖書館教育法嗎？

因為我很瞭解孩子的不足之處，所以要讓他去接受新的事物會有點害怕。

A：在圖書館裡指導孩子讀書會更好。

首先要請問您孩子的年齡和ADHD的程度是多少?有接受藥物治療和其他的遊戲治療或語言治療嗎?

說話能力和語言能力是有點不同的，我在書中有提到讀書可分為聽讀和默讀，對注意力不集中的孩子，更有必要讀給他聽。

所以，請您盡可能把手中的書籍讀完，不要因為孩子不專心而中斷，因為孩子雖然沒有乖乖坐著，但是他卻有在聽著。

偶爾還要帶孩子去公共圖書館，並要提早告訴他規則，如果違規，一樣要告訴他。

不要緊張，您得先去做，孩子才會跟著做，請讓他成為一個被社會保護的孩子。

若他正接受遊戲治療或是美術治療，讀書教育就可以一起進行。

請選擇孩子比較有興趣的書籍，就算只看一本也沒有關係，等到孩子的興趣持續時，再逐漸增加就行了。

切記，即使只是看一本書，也讓孩子在安靜的圖書館裡看，這是為了讓孩子見識另一個不同的社會。

Q：我的孩子只喜歡火車，是否該用火車為主題開始教他閱讀？

我的孩子非常喜歡火車，只有火車遊戲和用積木做火車，能讓他集中精神超過十分鐘。而且，只要與火車相關的書籍，他看二十遍也不會膩。請問我應該拿火車為主題開始教他閱讀嗎？

A：請把圖書館裡有關火車的書籍統統找出來讀給他聽。

通常我們很難要一般的孩子，集中五到十分鐘的注意力，您的孩子可以集中十分鐘以上的注意力玩遊戲，是一個好的徵兆。

所以，只要您的孩子喜歡火車，您就把圖書館裡有關火車的書籍統統找出來，陪孩子一起閱讀，讓他一點一滴更深入的瞭解火車，您也可以藉此體驗到自己所不知道的世界。

附錄

中國圖書分類法簡表：

總類	
000	特藏
020	圖書資訊學檔案學
030	漢學
040	普通類書；普通百科全書
050	連續性出版品；期刊
090	群經
哲學類	
120	中國哲學
130	東方哲學
140	西洋哲學
150	邏輯學
宗教類	
200	宗教總論
220	佛教
230	道教
240	基督教
270	其他宗教
科學類	
320	天文學
360	生物科學
390	人類學
應用科學類	
410	醫藥
430	農業
社會科學類	
500	社會科學總論
520	教育
570	政治
580	法律
史地類	
600	史地總論
610	中國史地
620	中國斷代史
630	中國文化史
640	中國外交史
650	中國史料
660	中國地理
670	中國地方志
680	中國地理類志
710	世界史地
720	海洋志
語文類	
810	文學
820	中國文學
830	中國文學總集
840	中國文學別集
850	中國各種文學
890	新聞學
藝術類	
910	音樂
970	技藝
980	戲劇
990	遊藝；娛樂；休閒活動

台灣地區各大圖書館名錄：

一、國家圖書館

- 國家圖書館　100台北市中正區中山南路20號　(02) 23619132
  http://www.ncl.edu.tw/

二、 公共圖書館

- 台灣圖書館　235台北縣中和市中安街85號　(02) 29266888
  http://www.ntl.edu.tw/
- 台灣省政府圖書館　540南投縣南投市中興新村光華路123號　(049) 2317071
- 台北市立圖書館王貫英先生紀念圖書館　100台北市中正區汀州路二段265號　(02) 23678734
  http://www.tpml.edu.tw/TaipeiPublicLibrary/index.php?subsite=mem
- 台北市立圖書館總館　106台北市大安區建國南路二段125號　(02) 27552823
  http://www.tpml.edu.tw/
- 台北市立圖書館城中分館　100台北市中正區濟南路二段46號3樓　(02) 23938274
- 台北市立圖書館大同分館　103台北市大同區重慶北路三段318號　(02) 25943236
- 台北市立圖書館延平分館　103台北市大同區保安街47號　(02) 25528534
- 台北市立圖書館建成分館　103台北市大同區民生西路198號4樓　(02) 25582320
- 台北市立圖書館大直分館　104台北市中山區大直街25號3-5樓　(02) 25336535
- 台北市立圖書館中山分館　104台北市中山區松江路367號8樓　(02) 25026442
- 台北市立圖書館長安分館　104台北市中山區長安西路3號4樓　(02) 25625540
- 台北市立圖書館三民分館　105台北市松山區民生東路五段163之1號5-6樓　(02) 27600408
- 台北市立圖書館民生分館　105台北市松山區敦化北路199巷5號4-5樓　(02) 27138083
- 台北市立圖書館松山分館　105台北市松山區八德路四段688號2、6、7、8樓　(02) 27531875
- 台北市立圖書館啓明分館　105台北市松山區敦化北路155巷76號3樓　(02) 25148443
- 台北市立圖書館中崙分館　105台北市松山區長安東路二段229號7-10樓　(02) 87736858
- 台北市立圖書館大安分館　106台北市大安區辛亥路三段223號4-5樓　(02) 27325422

- 台北市立圖書館道藩分館　106台北市大安區辛亥路三段11號3樓　(02) 27334031
- 台北市立圖書館西園分館　108台北市萬華區興寧街6號3-6樓　(02) 23069046
- 台北市立圖書館東園分館　108台北市萬華區東園街199號　(02) 23070460
- 台北市立圖書館龍山分館　108台北市萬華區桂林路65巷6號　(02) 23311497
- 台北市立圖書館萬華分館　108台北市萬華區東園街19號5-7樓　(02) 23391056
- 台北市立圖書館永春分館　110台北市信義區松山路294號3-4樓　(02) 27609730
- 台北市立圖書館三興分館　110台北市信義區吳興街156巷6號4-5樓　(02) 87321063
- 台北市立圖書館士林分館　111台北市士林區華聲街17號3樓　(02) 28361994
- 台北市立圖書館天母分館　111台北市士林區中山北路七段154巷6號3-4樓　(02) 28736203
- 台北市立圖書館葫蘆堵分館　111台北市士林區延平北路五段136巷1號　(02) 28126513
- 台北市立圖書館清江分館　112台北市北投區公館路198號3樓　(02) 28960315
- 台北市立圖書館稻香分館　112台北市北投區稻香路81號3-4樓　(02) 28940662
- 台北市立圖書館吉利分館　112台北市北投區立農街366號5-8樓　(02) 28201633
- 台北市立圖書館內湖分館　114台北市內湖區民權東路六段99號6樓　(02) 27918772
- 台北市立圖書館東湖分館　114台北市內湖區五分街6號　(02) 26323378
- 台北市立圖書館西湖分館　114台北市內湖區內湖路一段594號　(02) 27973183
- 台北市立圖書館南港分館　115台北市南港區南港路287巷4弄10號2-3樓　(02) 27825232
- 台北市立圖書館木柵分館　116台北市文山區保儀路13巷3號3-4樓　(02) 29397520
- 台北市立圖書館永建分館　116台北市文山區木柵路一段177號3-4樓　(02) 22367448
- 台北市立圖書館景新分館　116台北市文山區景後街151號5-10樓　(02) 29331244
- 台北市立圖書館景美分館　116台北市文山區羅斯福路五段176巷50號2-4樓　(02) 29328457
- 台北市立圖書館萬興分館　116台北市文山區萬壽路27號4-5樓　(02) 22345501
- 台北市立圖書館力行分館　116台北市文山區一壽街22號5-8樓　(02) 86612196
- 台北市立圖書館文山分館　116台北市文山區興隆路二段160號7-9樓　(02) 29315339
- 台北縣立圖書館　220台北縣板橋市莊敬路62號　(02) 22534412

  http://lib.tphcc.gov.tw/
- 台北縣萬里鄉立圖書館　207台北縣萬里鄉瑪鋉路221號4樓　(02) 24926100、24924490

- 台北縣金山鄉立圖書館　208台北縣金山鄉五湖村龜子山路8號　(02) 24984714
- 台北縣板橋市立圖書館　220台北縣板橋市文化路一段23號　(02) 29664347
- 台北縣板橋市立圖書館國光分館　220台北縣板橋市中正路375巷48號3樓　(02) 89654829
- 台北縣板橋市立圖書館四維分館　220台北縣板橋市陽明街166號　(02) 22521933
- 台北縣板橋市立圖書館民生分館　220台北縣板橋市民生路一段30號2樓　(02) 29542789
- 台北縣板橋市立圖書館忠孝分館　220台北縣板橋市國慶路149巷21弄16號　(02) 29542455
- 台北縣板橋市立圖書館溪北分館　220台北縣板橋市篤行路二段133號　(02) 26876738
- 台北縣板橋市立圖書館浮洲分館　220台北縣板橋市大觀路二段163號2樓　(02) 82751617
- 台北縣汐止市立圖書館大同總館　221台北縣汐止市大同路二段451號　(02) 26481342
- 台北縣汐止市立圖書館北峰分館　221台北縣汐止市福德一路272巷5號2樓　(02) 26945235
- 台北縣汐止市立圖書館茄苳分館　221台北縣汐止市茄苳路225巷35號4樓　(02) 26433279
- 台北縣汐止市立圖書館新昌分館　221台北縣汐止市仁愛路318號2樓　(02) 26478472
- 台北縣汐止市立圖書館江北分館　221台北縣汐止市汐萬路一段81號2樓　(02) 26431803
- 台北縣汐止市立圖書館自強分館　221台北縣汐止市新興路54號2樓　(02) 26415829
- 台北縣汐止市立圖書館長安分館　221台北縣汐止市長興路一段50號3樓　(02) 86484071
- 台北縣深坑鄉立圖書館　222台北縣深坑鄉深坑村深坑街6號1樓　(02) 26623116#237、239
  http://www.shenkeng.tpc.gov.tw/all.htm
- 台北縣石碇鄉立圖書館　223台北縣石碇鄉潭邊村員潪窟11之1號　(02) 26631354
  http://minica.myweb.hinet.net/
- 台北縣瑞芳鎮立圖書館　224台北縣瑞芳鎮中正路1號　(02) 24972980、24973210
- 台北縣瑞芳鎮立圖書館河東分館　224台北縣瑞芳鎮中山路20號3樓　(02) 24966401
- 台北縣平溪鄉立圖書館　226台北縣平溪鄉石底村公園街17號1樓　(02) 24952422
- 台北縣雙溪鄉立圖書館　227台北縣雙溪鄉太平街50號3樓　(02) 24933768
- 台北縣貢寮鄉立澳底圖書館　228台北縣貢寮鄉真理村仁愛路79號3樓　(02) 24903203
- 台北縣新店市立圖書館　231台北縣新店市民族路7號　(02) 29175337
  http://library.sindian.gov.tw/tw/library.asp
- 台北縣新店市立圖書館中央圖書分館　231台北縣新店市中央新村五街60號2樓　(02) 22197301

- 台北縣新店市立圖書館北新分館　231台北縣新店市北新路一段92號2樓　(02) 29151171
- 台北縣新店市立圖書館日興分館　231台北縣新店市安康路三段530號1-2樓　(02) 22154055
- 台北縣新店市立圖書館碧潭分館　231台北縣新店市新店路207號4樓　(02) 29142371
- 台北縣新店市立圖書館百忍分館　231台北縣新店市自由街2號3樓　(02) 29178420
- 台北縣新店市立圖書館仁愛分館　231台北縣新店市建國路58號2樓　(02) 29144854
- 台北縣新店市立圖書館寶興分館　231台北縣新店市寶中路65巷59號　(02) 29108542
- 台北縣新店市立圖書館三民分館　231台北縣新店市三民路20之2號　(02) 29108542
- 台北縣坪林鄉立圖書館　232台北縣坪林鄉坪林村國中路3號　(02) 26657499
- 台北縣烏來鄉立圖書館　233台北縣烏來鄉烏來村烏來街34號2樓　(02) 26616717
- 台北縣永和市立圖書館　234台北縣永和市光明里國光路2號　(02) 29222409
- 台北縣永和市立圖書館民權分館　234台北縣永和市民權路60號7-8樓　(02) 29495012
- 台北縣永和市立圖書館忠孝分館　234台北縣永和市忠孝街26巷8號3樓　(02) 29241907
- 台北縣中和市立圖書館大同分館　235台北縣中和市圓通路121巷5號1樓　(02) 22483766
- 台北縣中和市立圖書館　235台北縣中和市南山路236號6樓　(02) 29492767
- 台北縣土城市立圖書館　236台北縣土城市中正路18號7樓　(02) 22602952
- 台北縣土城市立圖書館清水分館　236台北縣土城市清水路243之1號2樓　(02) 22653293
- 台北縣土城市立圖書館柑林埤分館　236台北縣土城市學享街55號3樓　(02) 22637037
- 台北縣土城市立圖書館祖田分館　236台北縣土城市中央路四段283之1號4樓　(02) 22674776
- 台北縣三峽鎮立圖書館　237台北縣三峽鎮永安街9巷5號2樓　(02) 26735234
  http://www.sanshia.tpc.gov.tw/~lib/
- 台北縣樹林市立圖書館　238台北縣樹林市中山路二段80號3樓　(02) 26822953
- 台北縣鶯歌鎮立林長壽紀念圖書館　239台北縣鶯歌鎮西鶯里中山路150號3樓　(02) 26780219
- 台北縣三重市立圖書館　241台北縣三重市正義里自強路一段158號1樓　(02) 29814887
- 台北縣三重市立五常圖書館　241台北縣三重市五華街7巷30號2樓　(02) 29890559
- 台北縣三重市立田中圖書館　241台北縣三重市忠孝路三段40巷51號　(02) 29885482
- 台北縣三重市立後竹圍親子圖書館　241台北縣三重市忠孝路一段37號　(02) 89838922
- 台北縣三重市立崇德圖書館　241台北縣三重市仁孝街62號2樓　(02) 29773050

- 台北縣三重市立圖書館南區分館　241台北縣三重市重安街70號3樓　(02) 29768729
- 台北縣新莊市立中港圖書館　242台北縣新莊市自由街1號　(02) 29912053
- 台北縣新莊市立福營圖書館　242台北縣新莊市營盤里福營路227號3樓　(02) 29038939
- 台北縣新莊市黃愚活動中心兒童圖書館　242台北縣新莊市中信街74號　(02) 29974293
- 台北縣泰山鄉立圖書館　243台北縣泰山鄉明志路一段427號3樓　(02) 29091727
- 台北縣泰山鄉立圖書館貴子分館　243台北縣泰山鄉工專路22號3樓　(02) 29049389
- 台北縣林口鄉立圖書館　244台北縣林口鄉忠孝路399巷120號　(02) 26091417
- 台北縣蘆洲市立圖書館　247台北縣蘆洲市信義路61號3樓　(02) 22888294
- 台北縣蘆洲市立圖書館長安分館　247台北縣蘆洲市長安街96號3樓　(02) 28475873
- 台北縣蘆洲市立圖書館永平分館　247台北縣蘆洲市永平街1號3樓　(02) 28479964
- 台北縣蘆洲市立圖書館永安分館　247台北縣蘆洲市永安南路二段134號2樓　(02) 22851238
- 台北縣蘆洲市立圖書館集賢分館　247台北縣蘆洲市集賢路245號4樓　(02) 28479964
- 台北縣五股鄉立圖書館　248台北縣五股鄉工商路1號3樓　(02) 22932124
- 台北縣五股鄉立圖書館成洲分館　248台北縣五股鄉西雲路267號2樓　(02) 82951135
- 台北縣五股鄉立圖書館水碓分館　248台北縣五股鄉明德路10號3樓　(02) 82958950
- 台北縣八里鄉立圖書館　249台北縣八里鄉商港路35號3樓　(02) 26103385
- 台北縣淡水鎮立圖書館　251台北縣淡水鎮新生街10號3樓　(02) 26224664
- 台北縣淡水鎮立圖書館竹圍分館　251台北縣淡水鎮民生路27號5樓　(02) 26292367
- 台北縣淡水鎮立圖書館水碓分館　251台北縣淡水鎮中山北路一段158號6-7樓　(02) 26297466
- 台北縣三芝鄉立圖書館　252台北縣三芝鄉淡金路一段37號　(02) 26362331
- 台北縣石門鄉立圖書館　253台北縣石門鄉尖鹿村中央路9之3號2樓　(02) 26381202
- 桃園縣中壢市立圖書館　320桃園縣中壢市環北路380號　(03) 4224597
  http://www.chunglicity.gov.tw/Jungli/intro/dept7/list15.asp
- 桃園縣桃園市立圖書館　330桃園縣桃園市民權路24號1樓　(03) 3372160
  http://library.taocity.gov.tw/
- 國立台中圖書館　404台中市北區精武路291之3號　(04) 22261105
  http://www.ntl.gov.tw/

- 國立台中圖書館黎明分館　408台中市南屯區博愛街97號　(04) 22511722
- 台中市文化局圖書館　403台中市西區英才路600號　(04) 23727311#479
  http://www.tccgc.gov.tw/index.php?web=intro&from=lib.php
- 台中市文化局兒童館　406台中市北屯區興安路一段162號　(04) 22328546
  http://www.tccgc.gov.tw/index.php?web=intro&from=b-c.php
- 台中市中區圖書館　400台中市中區成功路300號7樓　(04) 22222502#66
- 台中市東區圖書館　401台中市東區建德街144號　(04) 22830824
- 台中市南區圖書館　402台中市南區五權南路335號　(04) 22623497
- 台中市西區圖書館　403台中市西區精誠路256號　(04) 23224531
- 台中市北區圖書館　404台中市北區健行路359號　(04) 22362275
- 台中市北屯區圖書館　406台中市北屯區大連路三段122號　(04) 22444665
- 台中市北屯區四張犁圖書館　406台中市北屯區仁和里豐樂路二段158號　(04) 24229833
- 台中市西屯區圖書館　407台中市西屯區福星路666號　(04) 22511102
- 台中市西屯區協和圖書館　407台中市西屯區協和里安和路60號　(04) 23582465
- 台中市西屯區永安圖書館　407台中市西屯區永安里永安一巷17號　(04) 24621250
- 台中市南屯區圖書館　408台中市南屯區大墩十二街361號　(04) 22533836、22533543
- 台中市南屯區文山圖書館　408台中市南屯區文山里忠勇路54之5號　(04) 23827258
- 台中縣立文化中心圖書館　420台中縣豐原市圓環東路782號　(04) 25295090
  http://www.tchcc.gov.tw/lib2/default.asp
- 台中縣文化局圖書館　436台中縣清水鎮鎮政路100號　(04) 26280166#601
  http://www.tccab.gov.tw/
- 台中縣太平市立圖書館　411台中縣太平市太平三街20號　(04) 22706590
  http://www.tccab.gov.tw/lib/b2.htm
- 台中縣太平市立圖書館北太平分館　411台中縣太平市新平路三段394巷1號2樓　(04) 23960412
- 台中縣大里市立圖書館　412台中縣大里市德芳路一段229號4樓　(04) 24815336
  http://www.dali.gov.tw/library/
- 台中縣大里市立圖書館大新分館　412台中縣大里市大新街36之1號　(04) 24066049

- 台中縣大里市立圖書館草湖分館　412台中縣大里市草湖路133號　(04)24952817
- 台中縣霧峰鄉立以文圖書館　413台中縣霧峰鄉大同路8號　(04)23391439
  http://www.tccab.gov.tw/lib/b4.htm
- 台中縣烏日鄉立圖書館　414台中縣烏日鄉九德村興祥街121號　(04)23368773
  http://www.tccab.gov.tw/lib/b3.htm
- 台中縣豐原市立圖書館　420台中縣豐原市市政路2號　(04)25252195
  http://www.tccab.gov.tw/lib/a1.htm
- 台中縣后里鄉立圖書館　421台中縣后里鄉墩東村文化路28號　(04)22574671
  http://www.howli.gov.tw/menu_06_library/main_01.asp
- 台中縣石岡鄉立圖書館　422台中縣石岡鄉萬安村明德路175號　(04)25722435
  http://www.shihkang.gov.tw/book/index.htm
- 台中縣石岡鄉立圖書館德興分館　422台中縣石岡鄉豐勢路134號2樓　(04)25814707
- 台中縣東勢鎮立圖書館　423台中縣東勢鎮北興里豐勢路518號　(04)25870006
  http://www.tccab.gov.tw/lib/a8.htm
- 台中縣和平鄉立圖書館　424台中縣和平鄉南勢村東關路三段156號　(04)25942713
  http://www.tccab.gov.tw/lib/a2.htm
- 台中縣新社鄉立圖書館　426台中縣新社鄉新社村興社街四段1巷1號　(04)25817868
  http://www.tccab.gov.tw/lib/a7.htm
- 台中縣潭子鄉立圖書館　427台中縣潭子鄉中山路二段397號　(04)25319339
  http://www.tccab.gov.tw/lib/a4.htm
- 台中縣大雅鄉立圖書館　428台中縣大雅鄉三和村雅潭路388號　(04)25683207、25676543
  http://www.tccab.gov.tw/lib/a3.htm
- 台中縣神岡鄉立圖書館　429台中縣神岡鄉中山路1460號　(04)25620914
  http://www.tccab.gov.tw/lib/a6.htm
- 台中縣大肚鄉立圖書館　432台中縣大肚鄉頂街村華山路151號　(04)26995230
  http://www.tccab.gov.tw/lib/c4.htm
- 台中縣沙鹿鎮立深波圖書館　433台中縣沙鹿鎮鎮南路二段488號　(04)26634606

http://www.tccab.gov.tw/lib/c8.htm

- 台中縣龍井鄉立圖書館　434台中縣龍井鄉龍泉村觀光路2號　(04)26353020

  http://lungjinglib.netfirms.com/

- 台中縣梧棲鎮立圖書館　435台中縣梧棲鎮中正里雲集街72號　(04)26568701

  http://www.tccab.gov.tw/lib/c7.htm

- 台中縣清水鎮立圖書館　436台中縣清水鎮鎮政路50號　(04)26271597、26263757

  http://www.chinshui.gov.tw/library/index.html

- 台中縣清水鎮立圖書館紫雲巖分館　436台中縣清水鎮光明路35之11號3樓　(04)26231867

  http://www.tccab.gov.tw/lib/c5.htm

- 台中縣大甲鎮立圖書館　437台中縣大甲鎮文武里雁門路172號　(04)26870836

  http://www.tccab.gov.tw/lib/c2.htm

- 台中縣外埔鄉立圖書館　438台中縣外埔鄉甲后路440之1號　(04)26833596

  http://www.tccab.gov.tw/lib/c6.htm

- 台中縣大安鄉立圖書館　439台中縣大安鄉中庄村興安路378號　(04)26713290

  http://www.tccab.gov.tw/lib/c3.htm

- 彰化縣彰化市立圖書館　500彰化縣彰化市卦山路4號　(04)7202073、7282831

  http://www.ntl.gov.tw/FamilyGroup_Look.asp?CatID=17&NewsID=398&selectkind=select

- 南投縣南投市立圖書館　540南投縣南投市育樂路100號　(049)2226156

  http://www.nthcc.gov.tw/bookinfo/page_65.htm

- 台南市立圖書館　704台南市公園北路3號　(06)2255146

  http://www.tnml.tn.edu.tw/

- 高雄市政府文化局中正文化中心管理處圖書館　802高雄市苓雅區五福一路67號　(07)2225141#213

  http://sub.khcc.gov.tw/%7Elib/

- 高雄市立圖書館總館　801高雄市前金區民生二路80號　(07)2611706-7

  http://www.ksml.edu.tw/

- 高雄市立圖書館新興分館　800高雄市新興區中正三路34號3樓　(07)2222563

  http://www.ksml.edu.tw/cmenu/cintro/intr.htm#08

- 高雄市立圖書館第二圖書總館(高雄文學館)　801高雄市前金區民生二路39號　(07)2611706

  http://www.ksml.edu.tw/cmenu/cintro/intr.htm#02
- 高雄市立圖書館調色板兒童玩具圖書館　801高雄市前金區民生二路39號　(07)2610444

  http://www.ksml.edu.tw/special/index.htm
- 高雄市立圖書館鹽埕分館　803高雄市鹽埕區大仁路179號5-6樓　(07)5322912、5322914

  http://www.ksml.edu.tw/cmenu/cintro/intr.htm#09
- 高雄市立圖書館鼓山分館　804高雄市鼓山區鼓山三路19之3號　(07)5615393

  http://www.ksml.edu.tw/cmenu/cintro/intr.htm#03
- 高雄市立圖書館南鼓山分館　804高雄市鼓山區延平街87之13號4樓　(07)5610941

  http://www.ksml.edu.tw/cmenu/cintro/intr.htm#12
- 高雄市立圖書館旗津分館　805高雄市旗津區中洲三路528號　(07)5715785

  http://www.ksml.edu.tw/cmenu/cintro/intr.htm#04
- 高雄市立圖書館前鎮分館　806高雄市前鎮區保泰路303號4-5樓　(07)7173008、7173009

  http://www.ksml.edu.tw/cmenu/cintro/intr.htm#10
- 高雄市立圖書館三民分館　807高雄市三民區十全一路220號　(07)3225528

  http://www.ksml.edu.tw/cmenu/cintro/intr.htm#07
- 高雄市立圖書館寶珠分館　807高雄市三民區大順二路468號4樓　(07)3950813-4

  http://www.ksml.edu.tw/cmenu/cintro/intr.htm#11
- 高雄市立圖書館陽明社區圖書館　807高雄市三民區陽明路300號3樓　(07)3899938

  http://www.ksml.edu.tw/cmenu/cintro/intr.htm#17
- 高雄市立圖書館楠梓分館　811高雄市楠梓區藍昌路72號　(07)3631338

  http://www.ksml.edu.tw/cmenu/cintro/intr.htm#05
- 高雄市立圖書館翠屏分館　811高雄市楠梓區德惠路55號3樓　(07)3639358、3639370

  http://www.ksml.edu.tw/cmenu/cintro/intr.htm#16
- 高雄市立圖書館左營分館　813高雄市左營區自助新村333號　(07)5820514

  http://www.ksml.edu.tw/cmenu/cintro/intr.htm#06
- 高雄縣政府文化局圖書館　820高雄縣岡山鎮岡山南路42號　(07)6262620

http://www.kccc.gov.tw/h/h1_01.asp

- 高雄縣政府文化局鳳山國父紀念館　830高雄縣鳳山市光遠路228號　(07)7462283、7462093
  http://www.kccc.gov.tw/a/a8_02.htm
- 高雄縣仁武鄉立圖書館　814高雄縣仁武鄉仁武村中正路80號　(07)3727900#178
  http://www.kccc.gov.tw/wind/ks/ksweb/libwebs/lib_06/page06.htm
- 高雄縣大社鄉立圖書館　815高雄縣大社鄉大社村自強街11號　(07)3519582、3533809
  http://www.kccc.gov.tw/wind/ks/ksweb/libwebs/lib_02/page02.htm
- 高雄縣岡山鎮立圖書館　820高雄縣岡山鎮公園路10號　(07)6224518
  http://www.gsto.gov.tw/gstonew/unit.php?mode=unit&unit_id=12
- 高雄縣路竹鄉立圖書館　821高雄縣路竹鄉國昌路86巷9號　(07)6979238
  http://www.kccc.gov.tw/wind/ks/ksweb/libwebs/lib_24/page24.htm
- 高雄縣阿蓮鄉立圖書館　822高雄縣阿蓮鄉中正路381巷35號2樓　(07)6312144
  http://www.kccc.gov.tw/wind/ks/ksweb/libwebs/lib_16/page16.htm
- 高雄縣田寮鄉立圖書館　823高雄縣田寮鄉南安村崗安路71號　(07)6381878、6361475
  http://www.kccc.gov.tw/wind/ks/ksweb/libwebs/lib_10/page10.htm
- 高雄縣燕巢鄉立圖書館　824高雄縣燕巢鄉西燕村中民路592號　(07)6168670
  http://www.kccc.gov.tw/wind/ks/ksweb/libwebs/lib_29/page29.htm
- 高雄縣橋頭鄉立圖書館　825高雄縣橋頭鄉隆豐北路7號　(07)6110154
  http://www.kccc.gov.tw/wind/ks/ksweb/libwebs/lib_28/page28.htm
- 高雄縣梓官鄉立圖書館　826高雄縣梓官鄉梓官路263號　(07)6170324
  http://www.kccc.gov.tw/wind/ks/ksweb/libwebs/lib_21/page21.htm
- 高雄縣梓官鄉立赤東圖書館　826高雄縣梓官鄉赤崁東路52號2樓　(07)6100990
- 高雄縣彌陀鄉立圖書館　827高雄縣彌陀鄉漯底村四維路1之1號　(07)6102317
  http://www.kccc.gov.tw/wind/ks/ksweb/libwebs/lib_30/page30.htm
- 高雄縣永安鄉立圖書館　828高雄縣永安鄉永華村永華路49號　(07)6910164
  http://www.kccc.gov.tw/wind/ks/ksweb/libwebs/lib_09/page09.htm
- 高雄縣湖內鄉立圖書館　829高雄縣湖內鄉保生路101號　(07)6995569

http://www.kccc.gov.tw/wind/ks/ksweb/libwebs/lib_23/page23.htm

- 高雄縣鳳山市立圖書館　830高雄縣鳳山市南成里林森路141號　(07)8110084
  http://www.kccc.gov.tw/wind/ks/ksweb/libwebs/lib_26/page26.htm
- 高雄縣鳳山市立第二圖書館　830高雄縣鳳山市自強一路119巷75號　(07)8415875
  http://www.kccc.gov.tw/wind/ks/ksweb/libwebs/lib_27/page27.htm
- 高雄縣大寮鄉立圖書館　831高雄縣大寮鄉永芬村進學路133號　(07)7826855
  http://www.kccc.gov.tw/wind/ks/ksweb/libwebs/lib_03/page03.htm
- 高雄縣林園鄉立圖書館　832高雄縣林園鄉林園村林園北路236號　(07)6431419
  http://www.kccc.gov.tw/wind/ks/ksweb/libwebs/lib_14/page14.htm
- 高雄縣林園鄉立第二圖書館　832高雄縣林園鄉西溪村西溪路70號2樓　(07)6434731
  http://www.kccc.gov.tw/wind/ks/ksweb/libwebs/lib_15/page15.htm
- 高雄縣鳥松鄉立圖書館　833高雄縣鳥松鄉鳥松村大仁北路10號　(07)7314809
  http://www.kccc.gov.tw/wind/ks/ksweb/libwebs/lib_22/page22.htm
- 高雄縣大樹鄉立圖書館　840高雄縣大樹鄉様腳村中興北路227號　(07)6517634
  http://www.kccc.gov.tw/wind/ks/ksweb/libwebs/lib_04/page04.htm
- 高雄縣大樹鄉立第三圖書館　840高雄縣大樹鄉溪埔村溪埔路3巷60之1號2樓　(07)6564272
  http://www.kccc.gov.tw/wind/ks/ksweb/libwebs/lib_04/page04.htm
- 高雄縣大樹鄉立第二圖書館　840高雄縣大樹鄉久堂村久堂路97之1號　(07)6519281
  http://www.kccc.gov.tw/wind/ks/ksweb/libwebs/lib_05/page05.htm
- 高雄縣旗山鎮立圖書館　842高雄縣旗山鎮鼓山里延平一路499號　(07)6616100#26
  http://www.kccc.gov.tw/wind/ks/ksweb/libwebs/lib_25/page25.htm
- 高雄縣美濃鎮立圖書館　843高雄縣美濃鎮美中路256號　(07)6817002
  http://www.kccc.gov.tw/wind/ks/ksweb/libwebs/lib_17/page17.htm
- 高雄縣六龜鄉立圖書館　844高雄縣六龜鄉義寶村光復路70號　(07)6892105
  http://www.kccc.gov.tw/wind/ks/ksweb/libwebs/lib_08/page08.htm
- 高雄縣內門鄉立圖書館　845高雄縣內門鄉觀亭村中正路115巷18號之1　(07)6671214
  http://www.kccc.gov.tw/wind/ks/ksweb/libwebs/lib_07/page07.htm

- 高雄縣杉林鄉立圖書館　846高雄縣杉林鄉上平村山仙路75號　(07)6771340#28、6771687
  http://www.kccc.gov.tw/wind/ks/ksweb/libwebs/lib_12/page12.htm
- 高雄縣甲仙鄉立圖書館　847高雄縣甲仙鄉和安村中山路48號　(07)6751773
  http://www.kccc.gov.tw/wind/ks/ksweb/libwebs/lib_11/page11.htm
- 高雄縣桃源鄉立中正圖書館　848高雄縣桃源鄉桃源村南進巷179號　(07)6861268
  http://www.kccc.gov.tw/wind/ks/ksweb/libwebs/lib_20/page20.htm
- 高雄縣三民鄉立圖書館　849高雄縣三民鄉民族村1鄰鞍山巷7號　(07)6701372
  http://www.kccc.gov.tw/wind/ks/ksweb/libwebs/lib_01/page01.htm
- 高雄縣茂林鄉立圖書館　851高雄縣茂林鄉茂林村1鄰8之3號　(07)6801340
  http://www.kccc.gov.tw/wind/ks/ksweb/libwebs/lib_19/page19.htm
- 高雄縣茄萣鄉立圖書館　852高雄縣茄萣鄉白砂路3號　(07)6902297、6900086
  http://www.kccc.gov.tw/wind/ks/ksweb/libwebs/lib_18/page18.htm
- 屏東縣屏東市立復興圖書館　900屏東縣屏東市建南路162號　(08)7521971
  http://www.cultural.pthg.gov.tw/lib/lib12/lib12_1.htm
- 花蓮縣花蓮市立圖書館　970花蓮縣花蓮市國聯一路170號　(03)8361041
  http://www.ntl.gov.tw/FamilyGroup_Look.asp?CatID=17&NewsID=344&selectkind=select

三、 專門圖書館

- 立法院國會圖書館　100台北市中正區中山南路1號　(02)23585668
  http://npl.ly.gov.tw/
- 國立中正文化中心表演藝術圖書館　100台北市中正區中山南路21之1號　(02)23939791
  http://www.ntch.edu.tw/LIB_website/
- 孫逸仙博士圖書館　110台北市信義區仁愛路四段505號　(02)27588008#530
  http://www.yatsen.gov.tw/chinese/
- 國立傳統藝術中心圖書館　268宜蘭縣五結鄉五濱路二段201號　(03)9705815#2318、2311
  http://www.ncfta.gov.tw/site/343/default.aspx
- 高雄市電影圖書館　803高雄市鹽埕區河西路10號　(07)5511211#27

http://w4.kcg.gov.tw/~kmfal/

- 台北德國文化中心圖書館　100台北市中正區和平西路一段20號11樓　(02)23657294#120
  http://www.dk-taipei.org.tw/
- 法國在台協會圖書館　105台北市松山區敦化北路205號10樓1003室　(02)35185116
  http://www.fi-taipei.org/
- 美國文化中心資料館　110台北市信義區基隆路一段333號21樓2101室　(02)27233959#219
  http://ait.org.tw/

（以上資料來自國家圖書館全球資訊網http://www.ncl.edu.tw/）

在圖書館培養比爾蓋茲

國家圖書館出版品預行編目資料

在圖書館培養比爾蓋茲 /
李賢著. — 初版.-
高雄市：核心文化，民95

面； 公分. —（滿分爸媽系列；12）

ISBN 986-7191-99-4（平裝）
978-986-7191-99-1

1. 學習方法 2. 圖書館利用 3. 親職教育

521.16 95015309

著 作 人／李賢
發 行 人／陳嘉怡
總 編 輯／陳曉慧
主　　編／方如菁
責任編輯／吳孟純
文字編輯／高琬禎
美術編輯／郭美荷
封面設計／黃聖文
翻譯／中天翻譯　寧莉
出 版 者／核心文化事業有限公司
地　　址／台北市南京東路一段132巷10號3樓
電　　話／02-22252498
發行地址／高雄市三民區通化街47巷3-1號
電　　話／07-3130172　　傳　　真／07-3130178
讀者免付費電話／0800211215
E-mail：kingin.com@msa.hinet.net
劃撥帳號／42062461 學研館文化事業有限公司
總 經 銷／宇林文化事業股份有限公司
總經銷地址／台北縣中和市中山路三段110號5F之6
總經銷電話／02-22251808
初　　版／2006年10月
定　　價／280元

S0-AWZ-522